Este libro pertenece a

_____

"Engañosa es la gracia y vana la belleza,
pero la mujer que teme al Señor,
ésa será alabada"

Proverbios 31:30

Cristiane Cardoso

Mejor que
comprar zapatos

Iglesia Universal
4080 SW 18th Street
Ft. Lauderdale - 33317
441 y La Davie - Boat Center
Tel. 954-797-8111

Unipro EDITORA

Rio de Janeiro
2010

C268m
                Cardoso, Cristiane.
             Mejor que comprar zapatos
   Varios mensajes / Cristiane Cardoso - Rio de Janeiro:
    Traducción de Agatha Parras - Unipro Editora, 2010.
  272 p. ; 21 cm. Traducción de: Melhor do que comprar sapatos
             ISBN 978-85-7140-564-6
   1. De dentro hacia afuera. 2. De soltera a la vida de casada.
                 I. Título

                            CDD - 248.408

Copyright © 2007, Cristiane Cardoso. Todos los derechos reservados
COORDINACIÓN GENERAL: Carlos Macedo
COORDINACIÓN EDITORIAL: Walber Barboza y Mauro Rocha
TRADUCTORAS: Agatha Parras y Maribel Salvo
REVISIÓN: Pamela García Damián
PORTADA: Samuel Taylor y Martha Ruiz
DIAGRAMACIÓN: Handerson R. Theodoro y Raquel Parras
1ª edición/ 1ª tirada
2010

Rio de Janeiro
Estrada Adhemar Bebiano, 3.610
Inhaúma – CEP: 20766-720
Rio de Janeiro – RJ
Tel.: + 55 21 3296-9300
www.universalproducoes.com.br
editora@universalproducoes.com.br

Mejor que comprar zapatos
Código para pedidos: 564-6

Sumario

Agradecimientos

A gradezco a mi Señor Jesús, que no sólo me orientó para escribir este libro, sino que también me llevó a experimentarlo en mi propia vida y a conocer a personas que jamás olvidaré.

A mi amado esposo Renato, que tiene ideas brillantes (este libro es una de ellas), siempre dándome ánimos en los momentos difíciles, vibrando conmigo en los momentos de alegría y añadiendo tanto en mi vida (él también quitó el 80% de los signos de exclamación al editar este libro) – ¡te amo, mi otra mitad! A mi hijo Felipe, que me hace conocerme a mí misma y así, madurar y adquirir una experiencia que jamás conseguiría si no fuese por él – ¡mi hijo precioso, pasaría nuevamente por todas las luchas sólo para tenerte!

A mis padres, Edir y Ester, por creer en mí (incluso cuando ni yo creía en mí misma) y por enseñarme la fe – mi herencia. Vosotros me disteis todo lo que necesito. ¡Gracias! A mi hermana Viviane, que no tiene la menor idea de lo especial que es para mí y de cómo tocó en mi vida de manera tan profunda a través de sus luchas – nadie jamás podrá ocupar tu lugar ¡querida! A mi querido hermanito Moisés, cuya vida me ayudó para escribir y entender un poco lo que los jóvenes pasan en este mundo. Tú tienes un gran talento Mo, te amo tal y como eres.

A Evelyn, Sandra, Chris y Lininha, las mujeres de fe que a pesar de tener otras responsabilidades han dedicado su tiempo para trabajar en este libro, simplemente por amor y por el espíritu de servidumbre. A Mauro y Sam, que me ayudaron a cumplir los plazos estipulados, ¡les agradezco por la gran eficacia con la que trabajaron en este libro!

Y finalmente, agradezco a todos los amigos que conocí en la Obra de Dios, vosotros sois mucho más que amigos… sois parte de mi propia familia.

Introducción

$\mathcal{C}$recí coleccionando diversos tipos de diarios. Unos describían mi día a día, mientras que otros eran más conocidos como "diarios problemáticos". De alguna forma, conseguía lidiar mejor con mis problemas cuando los transfería al papel. Me sentía mejor, más aliviada y más cerca de Dios. Creo que aquellos momentos de soledad acabaron beneficiándome, pues adquirí el hábito de escribir cosas que jamás habría conseguido expresar con mis labios.

Hija de un padre misionero, siempre supe que no tendría un futuro planificado, casa permanente, amistades duraderas y que mi familia no era como las otras – lo que a mí no me suponía ningún problema, pues éramos un equipo. Mis padres dedicaban gran parte de su tiempo a hacernos entender nuestra vida de sacrificio – y nosotros amábamos eso. No teníamos mucho contacto con el mundo exterior y yo me casé cuando todavía era muy joven. Lo creas o no, eso era lo que mi familia y yo más deseábamos.

Tal vez te preguntes por qué una hijita de papá como yo, podía tener tantos problemas hasta el punto de escribir diarios tan deprimentes. Para ser sincera, a mí también me gustaría saberlo. Siempre pensé que había pasado por cosas en la vida que no tenían mucho sentido y que tal vez, había reaccionado de una manera exagerada. Aun así, cuando miro hacia atrás, llego a la conclusión de que aquellos fueron los momentos en los que salí del mundillo en el que vivía – que me hacía ser tan ingenua. Felizmente entendí que, para que una persona sea grandemente usada por Dios, tiene que pasar por momentos difíciles para poder ser moldeada y perfeccionada.

Es obvio que los mensajes que contiene "Mejor que comprar zapatos" son muchos para poder absorverlos de una vez. Por favor, no te desanimes. Ten paciencia conmigo y también contigo misma.

Es imposible cambiar de la noche a la mañana a través de la simple lectura de un libro. Sé paciente y date tiempo a ti misma – así como Dios es paciente contigo y lo ha sido conmigo. Hay tiempo para todas las cosas y ahora, es tiempo de ingerir y asimilar cada mensaje cuidadosamente. Percibirás que tal vez no sea una buena idea leer este libro desde el inicio hasta el fin de una sóla vez, pues los artículos no siguen un orden natural. Siéntete cómoda para leer cualquier artículo en el orden que quieras. Si eres soltera, te sugiero que también leas los artículos sobre el matrimonio, para que te puedas ir preparando. Si estás casada, entonces lee los artículos sobre la adolescencia para que puedas ayudar a tus hijos.

Yo pensaba que jamás sería o haría algo importante en este mundo, pero Dios me mostró que estaba equivocada. Sé que este libro es una colección de artículos que escribí hace algún tiempo, pero es muy probable que algunas cosas que leerás aquí cambien tu manera de enfrentar la vida, haciendo que seas una mujer mejor en todos los sentidos.

Por eso digo que este libro es realmente ¡mejor que comprar zapatos!

En la fe,

Cristiane Cardoso
www.cristianecardoso.com

Parte 1

De dentro hacia afuera

Una mujer bella

Ella cuida mucho de su apariencia – su maquillaje siempre combina con su tono de pelo, su ropa muestra su elegancia, su forma de andar es discreta y su forma de hablar refinada. En fin, es una "mujer bella" por fuera, pero sólo Dios sabe lo que hay en su alma. Lo que más desea es tener a alguien con quien poder conversar y así, expresar sus sentimientos. Pero, ¿cómo expresar el sufrimiento del alma? ¿Cómo explicar los sentimientos que le han acompañado durante tanto tiempo y que, para muchos, parecen no tener el menor sentido? Es difícil entender cómo una mujer puede tener aparentemente todo y no conseguir la felicidad en las áreas de la vida en las que más necesita sentirse completa. Infelizmente, esa es la dura realidad de muchas mujeres bonitas hoy en día. Lo que más les preocupa no es el color que les favorece o qué peinado es el más elegante, sino qué hacer con todo el "equipaje" que hay en sus almas y que tanto les cuesta cargar. En la mayoría de los casos, todo comienza con una simple palabra por parte de alguien próximo que le hace pensar en sí misma. Con el paso del tiempo esas palabras y comentarios se van acumulando y formando el contenido de este equipaje, que se vuelve cada vez más pesado. ¿Cómo puede alguien librarse de una carga tan grande que ya parece formar parte de su vida?

Antes de todo, debemos entender que no todos los pensamientos contenidos en ese equipaje son verdaderos – en la mayoría de los casos, son 100% falsos. La verdad es que los pensamientos son raramente analizados antes de convertirse en palabras. Los comentarios nacidos de un impulso repentino son normalmente los más perjudiciales y por eso, no merecen que se tengan en cuenta. No merecen ser recibidos y mantenidos en el alma para siempre... sin embargo ¡eso es lo que más se hace!

Tal vez, lo que guardas en tu interior no sea una palabra que alguien te dijo, sino una convicción que surgió de alguna conclusión equivocada. Por ejemplo, hay muchas mujeres que sienten que nunca llegarán a ningún lugar en la vida y ¿por qué? Simplemente debido a algún pensamiento negativo que tienen de sí mismas, que les acompaña desde hace mucho tiempo. Tal vez, cuando eran niñas tuvieron poco éxito en el colegio y eso fue suficiente para que creyesen que nunca alcanzarían nada en la vida; o, simplemente porque un día se miraron en el espejo y vieron que no eran tan guapas como las otras chicas, y ahora están convencidas de que no son nada bonitas.

No importa cómo llenaste tus maletas, cuándo comenzaste a llenarlas o por qué empezaron a existir – el hecho es que ahora tus maletas tienen cosas muy pesadas. Además, gran parte de lo que contienen es totalmente innecesario. Y lo peor de todo: ¡Nunca irás muy lejos con todo ese peso! Tienes que dejarlas, pues cuanto más tardes en tirarlas, más tiempo tardarás en convertirte en la mujer libre que siempre quisiste ser: llena de potencial y capaz de realizar cosas extraordinarias por la fe. La vida es demasiado complicada para cargar con equipaje extra. ¡Vive con poco equipaje, amiga, y sé una mujer bella por dentro y por fuera!

Notas

_____

_____

_____

_____

_____

_____

_____

_____

_____

_____

_____

El valor de una mujer

Una vez me pregunté por qué Dios me había hecho mujer. Pensaba que los hombres eran más importantes y esto me molestaba mucho. Me acordé de los errores que cometía regularmente y que los hombres nunca cometen. Clamé a Dios con mi corazón lleno de amargura, cuestionando la injusticia de todo esto, entonces Él me reveló mi verdadero valor como mujer. Leyendo sobre la creación de Eva, percibí que Dios la creó para ser alguien especial, y no solamente otro ser para estar en medio de Su creación. ¡Él la creó con sus propias manos!

Después de crear al hombre y a los animales, Dios sentía que Su creación aún estaba incompleta. Fue después de haber creado a Eva, que: *"vio Dios que todo lo que había hecho, y he aquí que era bueno en gran manera"* (Génesis 1:31). La mujer completó la creación de Dios. Su valor a los ojos de Dios era tan grande que ordenó al hombre que dejase su propia familia para unirse a ella y tratarla como si estuviese cuidando de su propio cuerpo. Si la mujer no fuese tan importante, ¿por qué el hombre necesitaría dejar a las personas que más ama por ella? La mujer podría simplemente convertirse en un miembro más de su familia, con el único propósito de cuidar de él.

Aunque el Señor Jesús vino a este mundo en una época en la que las mujeres no eran valoradas en nada, Él les prestó especial atención. Podemos darnos cuenta del cuidado de Jesús cuando habló a una prostituta que acababa de ser sorprendida en adulterio y, también cuando elogió a una mujer que lavaba Sus pies con perfume.

La verdad es que nosotras, mujeres, no tenemos ninguna razón para sentirnos desvalorizadas o inferiores a nadie. Dios mostró eso claramente a través de Sara, Ester, Ruth y muchas otras mujeres, a quienes Dios juzgó dignas de mencionar en Su Palabra. Dios hizo a la mujer para ser única. Su amor maternal no se puede sustituir y su belleza es exclusiva. Ella es la luz de su casa: Si está enferma o de viaje, su casa se queda oscura. Ella consigue transformar un viejo apartamento en un "hogar, dulce hogar". ¡Su dulzura puede incluso hacer que una flor se abra!

Es interesante percibir que la mujer que se queda viuda consigue vivir sola durante el resto de su vida, pero eso raramente sucede con el hombre que se queda viudo. El hombre solamente está completo cuando tiene una mujer de Dios a su lado.

Si tú eres una mujer de Dios, aquí está tu valor delante de Él: Tú fuiste la primera sierva, la primera en testificar del Señor Jesús después de Su resurrección, aquella de quien Él quiere que las personas se acuerden cada vez que Su evangelio sea predicado, y eres también aquélla a quien perdonó a pesar de su pasado vergonzoso.

Entonces, mírate en el espejo hoy y observa a la mujer que Dios ve desde el cielo: especial, valiente, bonita, única, fuerte, sabia, trabajadora, madre dedicada y esposa amorosa, magnífica ama de casa, amiga verdadera, compañera, fiel, honesta, cuidadosa, comprometida e inteligente. Tus tareas no pueden ser hechas por nadie más – son solamente tuyas. Saca el provecho a esto y sé excelente en todas ellas, porque Dios te escogió – ¡y solamente a ti!

Si nadie demuestra gratitud por las cosas que has hecho, debes estar segura que aquello que ellos sienten va más allá de lo que las palabras pueden expresar. Tu marido pudo haberte dejado por otra mujer, pero sólo Dios sabe cuánto siente él la falta de tu cariño y amor verdadero. Tus hijos parecen no darse cuenta de tu presencia en casa, pero en realidad, ellos saben que eres la única persona que tiene sentimientos verdaderos hacia ellos. Tus amigas pueden hasta reírse de tu rostro anticuado, pero ellas desearían tener la vida que tú tienes.

A mi me gustó mucho lo que Patrick Morley escribió en su libro "Lo que los hombres desearían que sus esposas supiesen". Era algo más o menos así: "Dios dice: Está bien, veo que no es bueno que el hombre quede solo. Ahora bien, ¿cómo puedo resolver el problema? ¡Ya sé! Daré a Adán un perrito y lo llamará Rover, y será el mejor amigo del hombre... ¡No, eso no funcionaría! Él necesita un amigo, pero también necesita un ayudante. ¡Ya se lo que haré! Le daré un caballo trabajador. No, tal vez un buey. No, eso tampoco funcionaría. ¡Ummm...! Necesita un amigo y un ayudante, pero también necesita alguien con quien conversar. ¡Ya sé! Haré otro hombre, podrán ir al fútbol juntos, conversar sobre coches, jugar al golf... ¡No, eso tampoco funcionará! Realmente necesita un amigo, un ayudante y alguien con quien conversar, pero también necesita alguien que lo ayude a dominar la tierra... ¡Ya sé! Voy a construir una empresa y a darle compañeros de trabajo para ayudarlo a ocuparse del jardín. No, eso no funcionaría El jardín no es el único lugar donde el hombre necesita ayuda. Necesita ayuda en casa. Necesita también ayuda para llenar la tierra con otros como él. Este hombre - mirando para él - necesita ayuda en todas partes. Veamos: necesita un amigo para no estar solo, un ayudante para hacer su trabajo, alguien con quien hablar. Necesita ayuda en el trabajo y en casa. Necesita ayuda para hacer hombrecitos. ¡Umm... ya sé! ¡Entendí! ¡Haré una mujer!"

Mi querida amiga, reconoce tu verdadero valor. *¡Tú vales más que los rubíes!* (Proverbios 31:10).

Notas

_____

_____

_____

_____

_____

_____

_____

_____

_____

El abuso interior

La mayor lucha de una mujer sucede dentro de ella. En el momento en que decide dar un paso adelante en su vida, comienza a oír una voz en su interior diciendo que no merece ser feliz, que nunca conseguirá ser la mujer que desea, que no es lo suficientemente buena, etc. Esta lucha sólo tendrá fin cuando empiece a ignorar esa voz y siga adelante con su propósito. Si tuviésemos que escoger un nombre para esa voz la llamaríamos "voz interna ofensiva". Si no fuese por esa lucha diaria que enfrentamos, todo sería mucho más fácil y mucho mejor. Pero desgraciadamente, ella está ahí para quedarse.

Tú y yo pasamos por esa lucha todos los días, en todo momento. Ya sea en casa o en el trabajo, de noche o de día, esa lucha sucede dentro de todas nosotras. Sin embargo, en esa batalla diaria está la llave para el éxito o para el fracaso de todo ser humano. Como en todas las batallas, alguien tiene que ser el vencedor, que a veces no es necesariamente el más fuerte, sino el que resiste más. Si te paras a pensar, la llave de tu éxito está dentro de ti. Si vences tu batalla diaria, tendrás éxito en la vida. Si fracasas en tu batalla diaria, fracasarás en la vida. Algunas personas piensan que su éxito depende sólo de Dios. ¿No crees que si dependiese exclusivamente de Dios, todas seríamos exitosas, siendo Él el verdadero amor? ¿Será que un padre se alegra de ver a su hija sufriendo, con depresión, perdiendo la esperanza y triste? Hay cosas en la vida que sólo podemos hacer nosotras mismas – ni siquiera el propio Dios puede interferir. Una de esas cosas es precisamente la lucha contra la naturaleza humana y terrenal, que intenta hundirnos, haciéndonos sentir infravaloradas y proporcionándonos la idea de desistir. Es una gran batalla que nadie ve, sucede en lo oculto, en lo más profundo de nuestro ser – entre Tú y Tu Interior. ¿Dejaste alguna vez de hacer alguna cosa porque tuviste miedo y hoy en día te arrepientes? ¿Desististe de alguna idea porque nunca te sentiste capaz de llevarla a cabo? ¿Te miraste en el espejo y pensaste: "Nunca voy a ser alguien en esta vida?" – ¡Sí, ya, bingo!

Estas fueron batallas internas que perdiste. Esto no sucede solamente con algunas personas, sino con todas. Mujeres nacidas de Dios y llenas del Espíritu Santo también enfrentan esta batalla todos los días y, debido a una u otra batalla perdida, algunas no pueden dar el testimonio acerca del poder de Dios en sus vidas. Las personas que culpan a la iglesia, al pastor, a las personas, a los gobiernos y hasta a Dios, lo hacen porque no consiguen ver que la culpa es de ellas, pues son incapaces de vencer sus propias luchas interiores. ¿Te acuerdas de la reina Ester? Debió pasar por todas esas luchas interiores antes de poder tomar la decisión de hablar con su marido, que tenía fama de ser un rey muy malo y ni siquiera había sido capaz de salvar la vida de su anterior esposa. No sabemos qué pensamientos vinieron a su mente durante aquellos tres días de oración y ayuno, y que seguramente fueron los más largos de toda su vida. A pesar de todo, venció – usó su fe para ir en contra de todo. Se venció a sí misma y se convirtió en una heroína en Israel y en un ejemplo para todas las mujeres hasta el día de hoy. Lee el libro de Ester. La batalla continúa, y solamente las que son fuertes y perseverantes vencerán.

Notas

_____

_____

_____

_____

_____

_____

_____

_____

La mejor elección

De repente, te sientes acorralada por todas partes y no hay nada ni nadie que te pueda ayudar. Oras, pero tus oraciones se resumen en lágrimas y te preguntas si Dios las escucha. Buscas un consejo, pero parece que nadie entiende lo que te está pasando. Parece que no hay luz al final del túnel. ¿Por qué? ¿Qué he hecho para merecerme esto? ¿Cómo puedo vivir así? Confíe en Dios. ¿No es eso lo más difícil de hacer cuando parece que todo se viene encima de nuestra cabeza? Tan fácil de enseñar, pero tan difícil de practicar... Aun así, ésa es la única opción correcta cuando los días, meses y años de oscuridad parecen no tener fin. La impresión que tenemos es que los problemas se unirán para atacarnos y paulatinamente nos volvemos más vulnerables.

Incluso así, pensamos que todavía podemos hacer algo para solucionar la situación – parece que nunca aprendemos la lección. ¿Cuántas veces intentamos resolver nuestros problemas con nuestras propias fuerzas? ¿Cuántas veces hemos salido victoriosas? Mira al frente y responde a esas preguntas. Por mucho que no lo queramos admitir, nosotras no tenemos todas las respuestas que necesitamos sin la ayuda de lo alto. Tu pastor o tu mejor amiga no pueden ayudarte – entiende esto. La ayuda que necesitas sólo puede venir de lo alto.

Eso fue lo que Ana reconoció después de haber pasado tantos años sintiendo pena de sí misma por no tener hijos. Ella tenía el amor de su marido pero incluso así, se sentía avergonzada. No conseguía ni comer. Cuanto más tiempo pasaba, más avergonzada se sentía. Hasta que un día decidió ir al propio Dios. Todos los años ofrecía a Dios una porción doble de sacrificio que su marido, le daba; pero esta vez decidió ofrecer algo de sí misma, algo que le pertenecía. Se deshizo en lágrimas y sus palabras salían como gemidos de dolor, incluso así, encontró fuerzas para hacer el voto que cambiaría su vida:

"Oh Señor de los ejércitos, si tú te dignas mirar la aflicción de tu sierva, te acuerdas de mí y no te olvidas de tu sierva, sino que das un hijo a tu sierva, yo lo dedicaré al Señor por todos los días de su vida y nunca pasará navaja sobre su cabeza."

1 Samuel 1:11

Ana sacrificó lo que más quería en la vida: el derecho de ser madre, y al final confió en Dios lo suficiente como para orar y lanzar sus aflicciones en sus manos. ¡Sacrificó su sueño! Verdaderamente confió en Él, pues aunque le diese lo que más deseaba, ella se lo entregaría de nuevo. La Biblia dice que *"la mujer se fue por su camino y comió, y su semblante ya no estaba triste"*. Ana confió en Dios.

Dios observó la confianza y la disposición de aquella mujer al entregarle la cosa más preciosa de su vida con el fin de honrarlo, y Él le respondió dándole un hijo que Le honró de hecho y de verdad, un gran hombre de Dios llamado Samuel.

La confianza de Ana, amiga lectora, es el tipo de sentimiento que necesitas cultivar en tu corazón, ya sea en relación a la vida sentimental, familiar o física. Es inútil tener mucha fe y no poseer el elemento que sustenta esa fe: la confianza. Confía tus problemas en las manos de Dios. No permitas que destruyan tu vida, haz como Ana: come y no dejes que tu semblante quede triste nunca más.

Notas

_____

_____

_____

_____

_____

_____

_____

El puente

℮ xiste un clamor en lo más íntimo de cada mujer. Una historia triste que contar, una frustración que superar y un pasado que debería ser enterrado.

Hay marcas en todos los rincones de nuestro corazón. Heridas que se convertirán en cicatrices con el tiempo. Nadie lo entiende... ¿Cómo podrían entenderlo? Esas marcas son personales y profundas. Una persona nunca podrá comprender lo que pasa en el corazón de uno. El corazón es un lugar desconocido. Siempre que se escucha una canción triste o un determinado comentario, es difícil contener las lágrimas que vienen de lo más íntimo. Algunas mujeres intentan luchar contra esos tristes y dolorosos recuerdos, sin embargo, es difícil ignorar tamañas cicatrices que prácticamente nos dejan deformadas. Otras mujeres viven día a día en un estado depresivo constante, como si la vida fuese un peso que deben cargar hasta el fin de sus días.

Por mucho que odiemos admitirlo, toda mujer de Dios pasa por sufrimientos en la vida. Decepciones, heridas, ingratitud, humillaciones, desprecios, escarnios y soledad son solamente algunas de las situaciones por las que pasamos durante nuestra vida para que nos volvamos más fuertes y maduras. Como si fuese un largo puente dañado que tuviésemos que atravesar para adquirir un estado espiritual mejor. Durante la travesía de este puente nos arañamos, nos dañamos y, a veces podemos hasta rompernos una pierna.

En el momento en que alcanzamos el otro lado, nos volvemos mujeres completamente diferentes. Tenemos cicatrices por todas partes, pero también tenemos una fuerza interior que solamente nuestras propias experiencias pueden proporcionarnos. Sin embargo, no todas llegan al otro lado del puente al mismo tiempo. Algunas lo atraviesan más rápido que otras, pues cada vez que se caen o se dañan durante la caminata aprenden a hacerlo mejor para la próxima vez que lo intenten, siendo más cautelosas. Otras van cayéndose y dañándose, pero siguen sin aprender de sus errores, de manera que van retrasadas.

Cuanto más fuerte sea la mujer, más lejos estará en el puente. Se cae, como todas, pero se recupera rápidamente y continúa su caminata. Cuanto más inteligente sea, más rápidamente llegará al otro extremo, pues no pierde el tiempo mirando cómo las otras personas están atravesando sus propios puentes. Cuando finalmente atravesamos un puente, aparece otro que es todavía más difícil. Así es la vida: o somos vencedoras o somos perdedoras. A algunas personas les gusta quedarse entre los puentes para hacerse daño otra vez, pero, no llegarán a ningún lugar.

Cuantas más cicatrices tengamos, más fuertes y exitosas seremos. Si evitamos las cicatrices nunca tendremos aquello que deseamos, pues todo lo que es bueno tiene su precio – cuanto más grande, más sacrificio tendrá que realizar para alcanzarlo.

Notas

_____

_____

_____

_____

_____

_____

_____

_____

_____

Lidiando con los problemas

a vida no deja de ser un sueño – y para algunas, una pesadilla. Un día todo se acabará. Una persona puede enfrentarse a problemas extremadamente difíciles hoy y mañana esos mismos problemas pueden dejar de existir o de tener tanta importancia. El hecho es que todo pasa, ya sea bueno o malo. La única cosa que permanece es la propia persona, es decir, su carácter, su reputación y su fuerza.

La teoría pierde completamente el sentido cuando los problemas salen a la superficie. Parece que nunca van a acabar, aunque tú y yo sepamos que un día se acabarán. En realidad, el problema está en la forma en la que lidiamos con ellos. Hay muchas mujeres que se dejan dominar y acaban recurriendo a antidepresivos, permitiendo que sus problemas les causen todavía más problemas.

Me acuerdo de una joven que sentía un gran rechazo hacia los hombres. No era homosexual, pero estaba decidida a vivir sin que su vacío sentimental fuera llenado. Cuando le pregunté el porqué de tanto odio, me dio una disculpa perfecta: los hombres se habían aprovechado de ella en el pasado, y por eso, ya no conseguía confiar en ninguno. La triste realidad de esa joven se debía a una mala experiencia del pasado que la había hecho tomar una decisión destructiva para su futuro. En otras palabras, un único problema le estaba causando decenas de otros problemas.

Muchas no tienen la menor idea de cómo enfrentar sus problemas, por eso, acaban por seguir el camino más difícil para resolverlos y pocas son aquellas que de hecho, sacan provecho de sus experiencias. Observa amiga mía, que los problemas pueden ser bendiciones disfrazadas. Aunque sean siempre muy malos, pues casi siempre nos hacen llorar, detestarnos y pasar por humillaciones, ¡aquéllas que saben cómo reaccionar delante de las dificultades, tienen la capacidad de transformarlos en bendiciones!

En lugar de reaccionar contra un problema, intenta entender el por qué. En vez de quedarte llorando, obtén una lección de él. Siempre existe algo que puedes aprender con tus problemas y es exactamente eso lo que te ayudará a evitar que la misma situación vuelva a suceder. Por ejemplo, un fracaso matrimonial es triste, pero la verdad es que muchas de las mujeres que pasan por esto, llegan a la conclusión de que antes de haberse casado con el hombre equivocado, vieron suficientes señales que indicaban que no sería la elección acertada. Tal vez fuera su forma tan brusca de cambiar de temperamento, los constantes malentendidos, la relación con otras mujeres solteras, su apego familiar, su incapacidad para finalizar las cosas que empezaba, su dificultad para mantener un trabajo de forma permanente, etc. La mujer tiende a pensar que todo mejorará después de casarse, pero la verdad es que la situación se vuelve todavía peor. Si deseas saber si tu matrimonio será el idóneo, analiza tu noviazgo. Si fue inestable, entonces tu matrimonio también será inestable; si fue tranquilo y vosotros vivíais en un verdadero mar de rosas, entonces ¡tu matrimonio tiene todo lo necesario para funcionar!

Adquiere ventaja sobre tus problemas, descubre lo que significan verdaderamente, lee entre líneas y asegúrate que aprendiste la lección. Para eso existen los problemas: para enseñarnos a no cometer los mismos errores nuevamente, ¡no para otra cosa! No hagas una tempestad de una gota de agua. No te dejes llevar por la depresión, destruyendo tu futuro por algo que pasó en el pasado; lo contrario, los problemas persistirán hasta que hayas aprendido la lección.

Notas

_____

_____

_____

_____

_____

El sueño de la sunamita

*E*n los tiempos del profeta Eliseo, había una mujer sunamita que estaba casada con un hombre muy rico que temía a Dios y, ambos le servían con sus vidas y sus ofrendas. Sin embargo, había algo muy especial en aquella mujer que le hacía marcar la diferencia entre todas las demás sunamitas de su época: era una mujer agraciada. Pero lo que más llamó la atención de Dios era su amabilidad hacia todos y no solamente para con los que ella amaba.

Viendo que el profeta Eliseo, un hombre de Dios, siempre pasaba por su ciudad, acostumbraba a ofrecerle siempre algo para comer. Pero un día, pensó que podía hacer algo más por él, más allá de lo que solía hacer: Ella y su marido decidieron construir un cuarto para que Eliseo pudiese descansar siempre que pasase por la ciudad.

El profeta se quedó sorprendido con la amable actitud de la sunamita ya que no estaba recibiendo nada a cambio. Aun siendo así, él se sintió obligado a bendecirla de alguna manera. Entonces, le preguntó a la mujer qué le gustaría recibir de Dios; sin embargo, aquella mujer no estaba haciendo todo aquello para ser bendecida o para recibir alguna cosa a cambio; su actitud era el fruto de un deseo sincero de ser amable. Sabía que lo que hiciera para el hombre de Dios, lo estaría haciendo para el propio Dios; por eso, no vaciló en gastar su dinero, su tiempo y esfuerzo para servirlo. Sin embargo, el profeta no quedó satisfecho con su respuesta y decidió preguntar a sus siervos. Fue entonces que descubrió que ella no tenía hijos. Ciertamente, tener hijos era el mayor sueño de aquella mujer, pero su marido era ya mayor y ella había perdido la esperanza. Eliseo no lo pensó dos veces y decidió bendecirla con aquello que ni siquiera había pedido nunca a Dios, pero con lo que había soñado durante toda su vida: un hijo. Lee 2 Reyes 4:8-17.

Vemos aquí el ejemplo de una mujer que conquistó algo por lo que jamás había luchado, simplemente porque tenía un espíritu diferente. Se distinguió de entre las mujeres de su época de tal forma que, Dios quiso mencionar su actitud en la Biblia. Todos los días nosotras, como mujeres, tenemos la oportunidad de destacar y marcar la diferencia, pero ¿por qué sólo unas pocas realmente la hacen?

Las oportunidades aparecen cada vez que una idea viene a nuestra mente. El problema es lo que hacemos con esas ideas – unas no llegan a ponerse en práctica, otras son olvidadas o consideradas como absurdas. ¡Si tan solamente colocásemos nuestras ideas en práctica una a una y las considerásemos como oportunidades para marcar la diferencia y destacar...! El hombre de Dios siempre pasaba por la ciudad de aquella mujer sunamita y un día, ella decidió aprovechar la oportunidad de su vida – aunque no fuese consciente de ello.

Una de las características más bellas de la mujer es su capacidad para ser amable. Todas nacen con esta habilidad, pero no todas están dispuestas a usarla – desgraciadamente. Muchas mujeres piensan que siendo indiferentes a las necesidades de las otras personas se evitan problemas a sí mismas. Otras no se interesan porque están más preocupadas con lo que las personas van a pensar o simplemente, porque están muy ocupadas con sus propias vidas. No es una tontería que *"la mujer agraciada alcance honra"* (Proverbios 11:16).

Notas

Amigo verdadero

$\mathcal{L}$a verdadera amiga es como una joya: Tú misma te encargas de guardarla en un lugar seguro. No te cansas ni sientes deseos de deshacerte de ella; tiene un alto valor para ti y, probablemente, te recuerda a alguna ocasión especial o a alguien especial en tu vida. Así sucede con la verdadera amiga.

Las personas que viven su vida pensando que tener amigos no es importante, son personas que nunca tuvieron un verdadero amigo. La verdadera amiga siempre está a tu lado, incluso cuando estás irritada o con rabia. Ella te admira y hace que te sientas bien contigo misma. Uno de sus mejores momentos son los momentos en los que tú eres la estrella. Y cuando estás de mal humor, aun así te entiende.

Pocas personas tienen verdaderos amigos porque son difíciles de encontrar. Nadie desea verte más feliz que tus verdaderos amigos, de hecho, pocas son las personas que disfrutan de la felicidad de los otros.

El Señor Jesús fue y continúa siendo el Verdadero Amigo. Él se ofreció voluntariamente delante de Dios para dejar Su posición en el cielo y venir aquí a la tierra para que nosotros pudiésemos ser algo. Vivió día y noche evangelizando y predicando acerca de la salvación en todos los lugares. Hizo eso con tanta intensidad que no tenía tiempo ni para comer. ¿Y qué ganaba a cambio? Malentendidos, insultos, críticas y desprecios. Aún así, no dejó de dar, continuó dando más y más de Sí, hasta el día en que tuvo que dar Su Propia Vida.

Es doloroso pensar que todavía existen personas que desprecian al Señor Jesús y dicen que Él sólo fue un profeta o un hombre sabio. Él murió, resucitó y Se convirtió en digno de toda honra y de toda gloria. Es lo que yo llamo un Verdadero Héroe. Todas las personas que claman por Su nombre y, que por la fe, le entregan su vida, reciben la oportunidad de comenzar todo de nuevo, de vivir una vida completa, hayan sido prostitutas, adúlteras, ladronas, asesinas o incluso terroristas. Cuanto más pecadora sea la persona, más glorificado será Él. ¿Dónde encontrarás a un amigo mejor que Jesús? ¿Por qué continuar viviendo sola, si puedes tener un Verdadero Amigo a tu lado en todo momento? Un Verdadero Héroe, digno de todos los premios y mucho más. Aquél que te ama tal y como eres y que nunca te dejará ni te abandonará. ¿Por qué pensar que no está aquí, cuando Él es el único que está siempre tan cerca?

Notas

_____

_____

_____

_____

_____

_____

_____

_____

_____

_____

Cualidad Nº. 1

$\mathcal{E}$ l Señor Jesús dio. No sólo nos dio palabras y bendiciones – Él nos dio Su vida. Para muchas personas, eso no significa nada, es como si alguien estuviese repitiendo una frase cualquiera, como: "Oh, Dios mío..." La oyen tantas veces que ya no tiene la menor importancia.

Cuando pienso en la palabra "dar", me acuerdo de las experiencias buenas y malas que pasé en la vida. Una persona puede darte una sonrisa o mirarte de la cabeza a los pies, cariño o un golpe por la espalda, un "gracias" o un silencioso desprecio, un poco de su tiempo o un simple "ahora no puedo". Estamos siempre dando o recibiendo, y actuando así, estamos siempre haciendo a alguien feliz o triste.

Tenemos la tendencia de usar a las personas, cogiendo lo mejor de ellas e intentando vivir para nosotras mismas. Felizmente, Dios nos dio la oportunidad de tener Su Propia naturaleza; una naturaleza Divina que da sin importar lo que ocurra.

Una de las mayores cualidades de una mujer de Dios es la capacidad de dar lo mejor, sin recibir nada a cambio. No es que otras mujeres no tengan la capacidad de dar, pero es que hay una gran diferencia entre ella y las otras mujeres que no tienen la naturaleza de Dios. La mujer de Dios es capaz de dar parte de su tiempo libre, mientras que otras mujeres cobrarán por eso; ella será gentil contigo, mientras que otras son amables solamente para mantener la apariencia; ella te da un regalo, mientras que otras lo hacen porque les conviene; ella te da incluso lo que no puede, mientras que las otras no hacen ningún esfuerzo, aunque puedan. Ella es capaz de quedarse sin algo para que tú lo puedas tener, perder para que tú puedas ganar. ¿No fue eso lo que el Señor Jesús hizo por nosotros?

Piensa en todo lo que Él pasó para que pudiésemos estar aquí hoy. Muchas personas no reconocen Su existencia en su vida y sólo buscan Sus bendiciones. Aunque Dios sabe que le están usando, les da igualmente o que necesitan.

Da y recibirás, no solamente algunas bendiciones aquí y allí, sino mucho más de lo que jamás imaginaste. Recibirás a Dios en tu vida y nunca más te sentirás sola. Todos pueden abandonarte pero, aun así, Le tendrás: Él será tu Esposo cuando éste no esté a tu lado, será tu Amigo cuando tus amigos no te comprendan, será tu Guía cuando estés sin dirección. Será todo lo que siempre deseaste tener en la vida.

Entrégale tu vida, lo que piensas, lo que quieres o lo que sientes. A partir del momento en que lo hagas, tendrás Su naturaleza. No es necesario estudiar o asistir a un curso para esto. ¡Tan pronto des, recibirás! Cuando Su naturaleza esté en ti, entenderás por qué es mejor dar que recibir.

Notas

_____

_____

_____

_____

_____

_____

_____

_____

_____

Querida mujer de Dios

uede que haya algún detalle que haya pasado por alto y que es extremadamente importante para que tu viaje hacia una vida plena tenga éxito. La vida no es tan complicada como pensamos y, dependiendo de las elecciones que hacemos, todo puede ser más fácil. Quizás pienses que digo esto porque no estoy en tu lugar. Entiendo tu punto de vista, pero piensa: ¿Qué elecciones hiciste para estar donde estás ahora? ¿Y si hubieses tomado otras decisiones crees que las cosas habrían salido de la misma manera?

Todo en la vida depende de las decisiones que tomamos, incluso aquellas pequeñas cosas del día a día son capaces de cambiar toda nuestra vida. Por ejemplo: Puedes elegir enfadarte o no, protestar o no, rechazar o no, aceptar la vida como está o no, cambiar o no, comprometerte o no, ser responsable o no, y así sucesivamente. La vida está llena de elecciones. Si nuestras elecciones son las correctas, llegaremos a donde queremos. Así de sencillo.

Ahora debes estar preguntándote ¿cómo puedes saber cuál es la elección adecuada cuando todo parece tan borroso y oscuro? Es en ese momento que entra la fe. Cuando usamos la fe en vez de las emociones, podemos ver lo que no es visible para el ojo humano. Las emociones, por otro lado, nos hacen ver solamente la apariencia externa y nos hacen tomar decisiones equivocadas. La fe mira hacia adelante. Fe es creer en algo que no se puede ver o tocar.

No todas las mujeres de Dios andan por la fe. Muchas comienzan andando por la fe, pero luego vuelven atrás y viven por lo que ven, tocan y sienten. Viven en un estado espiritual débil, llenas de dudas e inseguridad. Siempre necesitan a alguien que les motive para continuar luchando. No es una cuestión de cómo fue criada o de lo que está pasando en ese momento, es una cuestión de fe. O se vive por la fe, o no. De todos los consejos que recibí, el mejor de todos ellos fue el que mi padre me dio acerca de cómo vivir por la fe.

Durante toda mi vida, a pesar de todas las cosas buenas que Dios me ha dado, frecuentemente soy decepcionada, reprendida, humillada, despreciada, usada y criticada. Aún así, nada me hace mirar hacia atrás, pues escogí vivir por la fe.

A pesar de todo lo que hayas pasado, siempre hay una oportunidad de volver a empezar. ¡Dios nos da esa oportunidad cada mañana, tal vez sea esa la razón por la que tenemos el día y la noche!

Notas

_____

_____

_____

_____

_____

_____

_____

_____

_____

¡Bla, bla, bla!

Allí estaba ella, enfadada y muy deprimida. La situación en su casa estaba fuera de control y, como es bien sabido, la paciencia tiene un límite. Sabía que no era por falta de oraciones y votos hechos a Dios, pues eso ya lo realizaba desde hacía años. Su marido todavía estaba desempleado, su hijo consumiendo drogas y su hija saliendo con malas compañías. Todos sus amigos y parientes conocían su situación, pues le resultaba muy difícil fingir cada vez que alguien (cualquier persona) le preguntaba cómo estaba su vida. Era como si hubiese llegado a su límite. ¿Cuándo iba a acabar todo eso? Sollozaba de vez en cuando bajo la lluvia, en el autobús o en cualquier otro lugar donde se acordase de su familia.

¿No es así como muchas de nosotras reaccionamos ante los problemas que persisten? Nos decepcionamos cuando no vemos ningún cambio, y no sólo eso, sino que, después de tanto esfuerzo por nuestra parte, las cosas se ponen aún más difíciles. La fe no trabaja dentro de un límite de tiempo. La fe es certeza. Si consigues mantener la certeza en algo, aunque parezca que todo está mal, estás usando tu fe. Es una cuestión de confianza, por eso, a muchas personas les resulta difícil entenderla. En realidad, la fe no es para ser entendida. Fe es fe.

Muchas personas, cuando reciben una oración fuerte, vuelven a su asiento o regresan a casa y se ponen a buscar una prueba que demuestre la eficacia de aquella oración y, cuando no ven ni sienten nada, rápidamente consideran que aquella oración fuerte, fue otra oración más sin resultado. Desconocen que perdieron su bendición en el exacto momento en que permitieron que las circunstancias externas "probasen" que su fe estaba equivocada. La persona comienza a reclamar: "Nunca pasa nada en mi vida, debe haber algo mal en mí o en la iglesia... ¿por qué Dios no responde mis oraciones?" etc. etc. La reclamación espiritual comienza en la mente, influida por pensamientos procedentes de cualquier persona, menos de Dios. El caos en la mente se vuelve tan descontrolado que la persona no consigue contenerse y comienza a desahogarse con las personas.

Cuando reclamamos o refunfuñamos respecto al retraso de nuestras bendiciones, de esa manera evitamos que las bendiciones vengan sobre nosotras. Cada vez que reclamamos alguna cosa con alguien, que no sea Dios, en realidad estamos dudando de que Él tenga el control de nuestra vida. Si creemos, no importa cuánto tiempo permanezcan las circunstancias adversas, continuaremos confiando que Dios tiene el control.

Tal vez, digas que es muy difícil y que necesitas expresarte de alguna forma. Tienes razón, pero ¿por qué expresarse con personas que no pueden hacer nada al respecto? Si tienes que desahogarte, hazlo con Dios, reclámale a Él. Cuéntale tus frustraciones a Dios, solamente a Él; a fin de cuentas ¿no dependías de Él?

Moisés siempre se quejaba a Dios de sus problemas, y Dios, se agradaba de su dependencia. Sin embargo un día él se quejó al pueblo sobre un milagro que Dios iba a realizar – que fue realizado por medio de él – y perdió el derecho a entrar en la Tierra Prometida (lee Números 20:10). Una simple queja, ¡una gran pérdida!

Notas

La fe de Cintia

*H*oy Cintia usó su fe. Después de un día lleno de problemas como el de ayer, se fue a dormir sintiéndose la peor persona del mundo. Quería morir por eso, empezó a imaginar cómo sería todo si pudiese desaparecer de la faz de la tierra. Aquella fue la noche más larga de su vida y, durante un momento, llegó a tener fiebre. Aun así, Cintia determinó en su corazón que iría a cambiar, reparando todo el mal que había causado a las personas que más amaba.

La primera cosa que hizo fue reconocer sus fallos. Llegó a la conclusión que todos los problemas que había tenido durante los últimos días, habían sido, de una forma u otra, culpa suya. Sintió como si estuviese diciendo delante de un montón de personas: "Mi nombre es Cintia y tengo un temperamento terrible". Sabía que no podía saltarse el primer paso; a fin de cuentas, si quería cambiar de verdad, tendría que comenzar por la raíz del problema. Luego dio otro paso rumbo a su cambio: pidió perdón a la persona que más había maltratado. Esa sí que tuvo que ser la actitud más difícil de tomar. No podía mirar a los ojos de su hermano, la situación era de lo más denigrante. Pero la sensación que tuvo, después de haber tomado aquella actitud un tanto humillante, fue una de las más agradables que jamás había tenido. ¡Estaba orgullosa de sí misma!

Cintia sabía que para que pudiese cambiar de hecho y de verdad, tendría que dar otro gran paso: necesitaba cambiar sus actitudes. Parecía que todos aquellos pensamientos que habían ensombrecido su mente la noche anterior habían perdido fuerza. Entonces se dio cuenta de que, que su incapacidad para cambiar era una mentira y que cambiaría, sí, cambiaría día a día. Entonces, cambió. ¡Así de simple!

Cuando una persona quiere cambiar, ¡todo lo que tiene que hacer es CAMBIAR! Es inevitable que en el comienzo se cometan fallos aquí y allí, pero si ves los fallos como una prueba de que es imposible cambiar, estarás perdida. Por eso, Cintia se dio una nueva oportunidad, pero, esta vez fue realista. Tenía la conciencia de que cambiaría poco a poco. El hecho de que una persona cometa fallos no significa que sea incapaz de cambiar. El cambio sólo es imposible cuando la propia persona determina eso.

Cintia estaba determinada, y por eso, todo su alrededor comenzó a cambiar, del agua al vino. Es gracioso cómo algunos problemas surgen, exactamente, cuando la persona decide cambiar. Críticas y malos entendidos fueron algunos de los muchos problemas que la esperaban para desanimarla. No fue fácil y, muchas veces lloró. En algunos momentos llegó a preguntarse: "¿Por qué me pasa todo esto?" Cintia usó su fe, y por eso, está de pie, esperando por más oportunidades para practicar aquello en lo que cree. Lo más interesante es que Cintia no está en la Biblia o en las páginas de un libro cualquiera, pero está entre nosotras mientras tú lees esta historia.

Notas

_____

_____

_____

_____

_____

_____

_____

_____

_____

El círculo vicioso

Cómo puede alguien tomar control de un colegio y aterrorizar a niños en nombre de la justicia? ¿Cómo puede una niña inocente crecer y convertirse en prostituta y asesina? O ¿cómo pueden dos jóvenes que tienen un enorme potencial, suicidarse juntos? Nada justifica lo que hicieron, pero tampoco es correcto decir que nada justifica lo que hayan pasado. El mundo entero está espantado con lo que esas ovejas negras han hecho. Productores de películas dieron a esta joven prostituta y asesina el nombre de "monstruo", y la muerte de dos jóvenes inglesas se convirtió en noticia en Inglaterra. Sus malas actitudes eran reacciones a la injusticia que sufrieron durante su vida, formando un círculo vicioso. Hay personas que pasan por injusticias desde muy temprana edad y, por eso, obran injustamente con otras personas. Este círculo se repite a través de cada generación, década, siglo.

Cuanto más intentemos vivir según lo que consideramos que es mejor, justo y correcto, para llegar a marcar la diferencia algún día, más lejos estaremos de Dios. No es que Él no quiera que tengas tus propias opiniones y puntos de vista, sino porque Él sabe qué es lo mejor para tu vida. A fin de cuentas, ¿cuántos años tenemos?, ¿podríamos compararnos a Alguien que ha estado aquí desde el principio?

Cuando leemos sobre esas mujeres, tendemos a juzgarlas, pero la realidad es que ellas sufrieron injusticias. Dios estuvo con ellas en todos los momentos, pero ninguna clamó por Él. No creyeron que Él podría cambiar aquella situación y prefirieron culparlo, pensando que habían nacido para sufrir. Dios es Justo y Su voluntad es para nuestro bien. ¿Crees en esto? Si dices que sí, pero a menudo te enfadas con Él y piensas en desistir, tu respuesta es no, no crees que Él esté a tu lado y que quiera lo mejor para ti.

¿Te acuerdas cuando eras joven y odiabas las decisiones que tus padres tomaban por ti? Si hoy eres adulta, probablemente agradeces a Dios por aquellas decisiones, pues en aquel momento, pensabas tener la razón, pero ahora entiendes cuál era el grado de tu inmadurez. Ahora multiplica esas experiencias por cien y, eso es lo que vivirás con Dios.

Él sabe qué es lo mejor para ti. Es inútil pensar en desistir o sentir rabia, haciendo que la vida de los demás sea aún más difícil debido a tus actitudes negativas. Tu hijo no tiene la culpa de la separación de tu marido, no es culpa de tus padres que no hayas tenido éxito en tu vida y, por encima de todo, no es culpa de Dios. Entonces acércate a Él y déjale que te ayude. Dios hará justicia en tu vida y te mostrará por qué has sido cuidadosamente escogida desde el vientre de tu madre.

Notas

_____

_____

_____

_____

_____

_____

_____

_____

_____

_____

Esposas repudiadas

*B*ellas y llenas de vida, esas mujeres pasan por muchas dificultades para que el nombre del Señor Jesús sea glorificado. Ellas fueron de la desesperación a la vergüenza, de la humillación a la soledad, pero, guardaron su fe con la gran determinación de que nada ni nadie las sacaría de la presencia de su Creador. Dios se convirtió en su Marido. El Único que permaneció, Aquél que se preocupó, la entendió y que no cambió; el Único que estará siempre a su lado sin importarle cuánto ellas engorden o envejezcan. Él es quien estará siempre cerca, hasta el último día de sus vidas.

Esas mujeres son las que están más cerca de Dios, pues Él es todo lo que tienen. Se convierten en la columna de la Iglesia del Señor Jesucristo. Su fuerza excede todas las expectativas a través de todo lo que enfrentan, viven por la fe y no por la emoción, mostrándose justas delante de Dios, pues *"el justo vivirá por su fe"* (Habacuc 2:4). En los momentos de tribulaciones, desesperación y abandono no buscan la misericordia y el consuelo de nadie, y sí servir a Dios. Poseen un único objetivo en la vida, que es servir al Señor, quien también pasó por tribulaciones, problemas y abandono.

Abandonadas por sus maridos, son ejemplos de fe en el Señor Jesucristo, mostrando a Él y a todos, que su fe no depende de ningún "acuerdo".

"Porque tu esposo es tu Hacedor, el Señor de los ejércitos es su nombre; y tu Redentor es el Santo de Israel, que se llama Dios de toda la tierra. Porque como a mujer abandonada y afligida de espíritu, te ha llamado el Señor, y como a esposa de la juventud que es repudiada – dice tu Dios. Por un breve momento te abandoné, pero con gran compasión te recogeré. En un acceso de ira escondí mi rostro de ti por un momento, pero con misericordia eterna

tendré compasión de ti – dice el Señor tu Redentor. Porque esto es para mí como en los días de Noé, cuando juré que las aguas de Noé nunca más inundarían la tierra; así he jurado que no me enojaré contra ti, ni te reprenderé. Porque los montes serán quitados y las colinas temblarán, pero mi misericordia no se apartará de ti, y el pacto de mi paz no será quebrantado – dice el Señor, que tiene compasión de ti. Oh afligida, azotada por la tempestad, sin consuelo, he aquí, yo asentaré tus piedras en antimonio, y tus cimientos en zafiros. Haré tus almenas de rubíes, tus puertas de cristal, y todo tu muro de piedras preciosas. Todos tus hijos serán enseñados por el Señor, y grande será el bienestar de tus hijos. En justicia serás establecida. Estarás lejos de la opresión, pues no temerás, y del terror, pues no se acercará a ti. Si alguno te ataca ferozmente, no será de mi parte. Cualquiera que te ataque, por causa de ti caerá. He aquí, yo he creado al herrero que sopla las brasas en el fuego y saca una herramienta para su trabajo; yo he creado al devastador para destruir. Ningún arma forjada contra ti prosperará y condenarás toda lengua que se alce contra ti en juicio. Esta es la herencia de los siervos del Señor, y su justificación viene de mí – declara el Señor."

Isaías 54:5-17

Notas

_____

_____

_____

_____

_____

_____

_____

¿Una cristiana cansada?

$\mathcal{D}$ ías malos vienen y van, como los días de lluvia. A veces, hasta nos acostumbramos a ellos, pero no cuando se hacen interminables y todo se vuelve gris y triste. Sentimos ganas de dormir y de sólo despertar después de un mes, cuando ya todo haya terminado. De vez en cuando ese pensamiento viene a nuestra mente, especialmente en determinados períodos del mes, cuando somos 75% pura emoción.

Aun así, tan pronto como la tempestad pasa, nos preguntamos por qué prestamos tanta atención a cosas tan pequeñas. ¿Por qué el deseo de desaparecer de la faz de la tierra era tan constante? ¿Por qué exageramos tanto? Nuestro Señor sabía eso cuando dijo:

"Tomad mi yugo sobre vosotros y aprended de mí, que soy manso y humilde de corazón, y hallaréis descanso para vuestras almas. Porque mi yugo es fácil y mi carga ligera."

Mateo 11:29,30

Él sabe cuando nosotras somos capaces de volvernos dramáticas, especialmente cuando todo parece estar en nuestra contra. Aun así, Él siempre nos alivia de nuestra carga ¡con una paciencia sencillamente sorprendente!

Tal vez piensas que ser cristiana sea una carga que tengas que cargar sin necesidad; como si tuviésemos que ser perfectas y completamente aisladas de las demás personas. Sin embargo, el Señor afirma que Su yugo es suave y Su carga ligera, ¿por qué muchas mujeres cristianas se sienten tan sobrecargadas? Simplemente, debido a la presión ejercida por parte de las religiones e iglesias. ¿Qué está pasando? Nuestro Señor es manso y humilde de corazón, dice que Su yugo es fácil y que en Él encontraremos descanso para nuestra alma. Si alguna vez te sientes presionada y sobrecargada debido a algo que está pasando en tu vida, basta con entregar todo en Sus manos. Jesús no te pedirá nada que no puedas hacer. Él es paciente y si no tienes fuerzas para cambiar de una sola vez, te fortalecerá poco a poco. Y cuando estés preparada para dar un paso más en Su dirección, estará con los brazos abiertos para recibirte.

Esa es la vida cristiana que yo conozco. Todo lo demás que he mencionado acerca del cristianismo, las imposiciones y exigencias que oprimen y hacen a las personas sentirse como si estuviesen camino del matadero, son pesos innecesarios que acaban apartando a las personas de Dios. Dios quiere ayudarte y no apartarte de Él. Quiere darte más paz y no quitarte la poca que tienes. Su carga es tan ligera, que todas las veces que estés débil para usar tu fe, Él no te condenará, sino que te mostrará el camino que debes seguir para salir de esa situación.

Piensa en Él como un Padre de amor. Alguien que está a tu lado en cualquier circunstancia. ¿Hiciste algo terrible? Aun así, todavía está a tu lado; aunque no esté de acuerdo con tu error, te ayudará a salir del agujero en el que caíste. Para de aceptar tantos yugos y cargas. Acuérdate: Su yugo es suave y Su carga es ligera. ¿Será que eso no es suficiente?

Notas

_____

_____

_____

_____

_____

_____

_____

_____

Llegó un nuevo día

Conoces ese fuerte sentimiento dentro del corazón, que duele y que es tan pesado que no te deja hacer nada durante todo el día? ¿Cuando no consigues dejar de pensar que es demasiado tarde para cambiar? Tu propia voz interior se vuelve contra ti, diciendo: "Ahora está hecho, se acabó. Es prácticamente imposible hacer algo". Ir al trabajo es un tormento, sonreírle a alguien parece imposible, levantarse de la cama es simplemente demasiado difícil. Si tan sólo pudiésemos volver atrás o borrar el pasado completamente... Pero lo que está hecho, hecho está y ahora te sientes como si nunca más pudieses volver a ser la misma persona.

El ejercicio constante de "intentar y fallar" te desanima para intentarlo nuevamente. Eso hace que tengas una imagen negativa de ti misma. Te convences que cualquier esfuerzo será en vano y que nunca cambiarás. Pero la verdad es que, nunca comenzaste de nuevo. Decir que empezarás todo de nuevo y que ahora las cosas serán diferentes no es suficiente. Falta algo más. Tu determinación puede durar algún tiempo, pero llegará un momento en que no será suficiente. Debes empezar por completo, tienes que cambiar de tal forma que, todo lo que está en el pasado, perma-nezca allí.

Cuando Dios creó todo, fue muy específico sobre la creación del día y la noche. Él podría haber creado solamente el día ¿no es cierto? A la mayoría de las personas les conviene más, incluso es más seguro. Aun así, Dios, escogió de manera inteligente crear el día y la noche. Hay muchas razones para eso, pero una de las más maravillosas es que cada mañana puede ser un nuevo inicio.

Siempre habrá un nuevo día, incluso después de una larga noche. Y la misericordia de Dios se renueva cada mañana – ¿ya pensaste en eso? ¿Entiendes ahora la nueva vida que puedes tener con Dios?

Mientras algunas personas no te dan ni siquiera una segunda oportunidad, Dios te da una tercera. A Él no le importa lo que hayas hecho, sido o dicho; Él no es como la mayoría de las personas que viven recordando lo que hiciste mal.

Aunque no lo aprueba, Dios entiende el porqué de tus actitudes, de tu comportamiento y de tus palabras. Lo único que Él quiere es que dejes tu pasado atrás y comiences una nueva vida con Él. No es tan difícil, piénsalo, es como si borrases todo un capítulo de tu libro y escribieses uno nuevo, partiendo de cero.

Tal vez ya hayas intentando comenzar todo de nuevo, cambiar y hacer las cosas de forma diferente, pero nunca tuviste éxito. La respuesta es: No puedes hacerlo todo sola. Incluso con toda la determinación que hay dentro de ti, parece simplemente imposible perdonarte a tí misma ¿verdad? ¡Pero Dios está siempre preparado para perdonarte! No quiere saber nada de tu pasado, lo que Él quiere es planear cosas nuevas para ti. Ahora, lo único que tienes que hacer es quererlo y permitirle que lo haga.

Notas

_____

_____

_____

_____

_____

_____

_____

_____

_____

_____

Amistad rota

$\mathcal{L}$ a amistad es una necesidad en la vida de todo hombre y de toda mujer. Comienza justo después de nacer, cuando sientes el calor de tu dulce madre abrazándote tan fuerte que no quieres soltarla nunca. Continúa cuando creces un poco y aprendes a hacer reír a tu padre. Y, entonces, cuando ya creciste lo suficiente como para ir al colegio, conoces a aquella chica de tu edad que parece ser todo lo que siempre quisiste ser. Cuando te conviertes en adulta, te casas con el hombre de tus sueños y éste se convierte en tu mejor amigo.

Infelizmente, todas estas escenas forman parte de un mundo ideal, pero no siempre son la realidad. Los amigos vienen y van, las amistades comienzan y terminan… Los mejores amigos a veces se separan por la distancia, pero mayoría de las veces, somos nosotros mismos quienes permitimos que acontezca. Un cotilleo, un mal entendido, una actitud sin pensar o una expectativa tan grande que nadie sería capaz de cumplir.

Sabemos lo importante que es la amistad para nosotras, pero cuando cositas como ésas entran en nuestro medio, rápidamente nos olvidamos de su importancia en nuestra vida y realizamos la elección más común: la distancia. ¿Ya escuchaste decir que la distancia cura las heridas? Pues yo te digo que una herida en el corazón no puede ser curada con la distancia o con el tiempo, porque está dentro de nosotros. Los recuerdos no desaparecen así tan fácilmente. "El tiempo cura todas las heridas" – ¿sabes qué significa eso? Eso no quiere decir que debas distanciarte de la persona que te dañó y tus heridas serán curadas, si fuese así ¿de dónde vendría el resentimiento? El verdadero significado es que cuando el tiempo pasa y la persona llega a la conclusión que es absurdo guardar malos sentimientos contra otra persona, ella al final es curada.

El resentimiento te hace daño a ti y a las demás personas. Cuando guardas en tu interior cosas malas, éstas te acompañarán donde quiera que vayas, como un peso innecesario colgado de tu cuello. Piensa: ¿por qué cargar con ese peso si puedes dejarlo en el suelo y seguir adelante?

Yo tuve dos amigas muy próximas que se distanciaron debido a las circunstancias de la vida y, en aquella época me entristecí mucho. Cada vez que escuchaba sus nombres, me acordaba de cuánto me habían decepcionado y no me interesaba tener noticias suyas. Las había perdonado en mi corazón, pero decidí que no quería sufrir más de esa manera y, por ello, me distancié. Hasta que Dios habló conmigo que era inútil hacer con ellas lo que ellas estaban haciendo conmigo, pues yo estaba tan equivocada como ellas.

¿Por qué estaba siendo influida para hacer cosas que yo no acostumbraba a hacer tan sólo para poder protegerme? ¿Cuántas veces queriendo protegernos, acabamos cometiendo el mismo error que la otra persona, apartándonos, cambiando nuestro comportamiento y mirándola de una manera diferente? En mi corazón, siempre deseé ser una buena amiga ¿Por qué tenía que ser de otra forma ahora? Es así que se acaban las amistades. Pero si continuamos siendo una buena amiga, la amistad no se acabará, y por encima de todo, seremos quien da la lección moral.

Notas

_____

_____

_____

_____

_____

_____

_____

_____

Palabras mortíferas

as palabras parecen eternas. En el momento en que las pronuncias en voz alta, estás literalmente, escribiéndolas en el corazón de alguien. A veces ese alguien va a estar toda la vida de acuerdo con esas palabras. ¿Qué le dijiste hoy a la persona que amas? ¿Qué palabras has grabado en el corazón y en la mente de esa persona hasta ahora? Yo sé que a veces es difícil controlarse, especialmente en aquellos momentos de rabia, pero ¿será que vale la pena destruir la autoestima de una persona por ese error tan pequeño que cometió?

Dios tolera nuestro terco corazón día a día, e incluso siendo así, no nos destruye con palabras; al contrario, Él siempre nos dice cosas buenas, tales como: Podemos comenzar de nuevo (Isaías 43:18,19), Él nunca se olvidará de nosotros (Isaías 49:15), siempre estará con nosotros (Mateo 28:20), Su amor es incondicional (Romanos 8:35), somos la niña de Sus ojos (Zacarías 2:8) etc.

Además de tener que luchar contra los problemas y dudas que el diablo lanza a nuestra mente, además tenemos que tolerar palabras de duda y malentendidos que acaban matándonos lentamente. Hay muchas personas que acabaron desistiendo de la vida porque no soportaban más: maridos que se fueron de casa, mujeres que volvieron a casa de sus padres; hijos que se entregaron a las drogas y al alcohol, etc. Todo debido a palabras que jamás debieron haber sido pronunciadas. Estas palabras que insisten en salir de la boca de determinadas personas son peores que un asesinato, donde la víctima no lleva consigo traumas o recuerdos. ¡Las palabras pueden matar por dentro y tú tienes que trabar una verdadera lucha para permanecer viva por fuera! Tienes que estar toda la vida con todas aquellas palabras en tu mente. Esto es un peso que nadie debería ser obligado a cargar. Las palabras pueden ser como tiros en el alma. Ya conversé con muchas mujeres que lo tenían todo para ser exitosas, pero no lo son debido a una palabra de muerte o a una crítica destructiva. Pueden ser las mujeres más bellas del mundo, pero aun así, sólo consiguen ver a una mujer horrible cuando se miran en el espejo.

Lo mejor que puedes hacer para no ofender a las personas, es no hablar cuando estés disgustada o demasiado nerviosa. Es casi imposible filtrar las palabras que salen de nuestra boca en esos momentos. Deja que las cosas se calmen, tal vez sea mejor hablar al día siguiente o en el transcurso de la semana. Si aun así no te sientes segura para hablar del asunto, no hables.

Los hijos también son un caso delicado, pues tenemos la responsabilidad de enseñarles y corregirles. Pero acuérdate: Tus palabras tienen más poder que las palabras de cualquier otra persona. Ellos incluso son capaces de tolerar el comportamiento abusivo de los compañeros del colegio, pero jamás soportarán palabras destructivas de su propia madre. Vamos a escuchar más y a hablar menos, pues *"El que guarda su boca, preserva su vida; el que mucho abre sus labios, termina en ruina"* (Proverbios 13:3).

Notas

_____

_____

_____

_____

_____

_____

_____

_____

_____

_____

Regresando a su hogar

$\mathcal{E}$s frustrante escuchar sobre los constantes actos de terrorismo entre Israel y los países árabes; y todavía lo es más saber que esa enemistad comenzó en la época de Abraham. Sara no quiso esperar por la respuesta de Dios para tener su propio hijo, entonces, como muchas de nosotras, planeó conseguir lo que quería de una manera más rápida y fácil. Le propuso a su sierva Agar, que se quedase embarazada de Abraham en su lugar y le diese su hijo en adopción. De este modo, hicieron un pacto y Abraham estuvo de acuerdo con la decisión. Mientras, tan pronto como Agar se quedó embarazada de su señor, pensó en las ventajas que tenía, a fin de cuentas, el hijo de su señor era también suyo. Entonces Agar comenzó a despreciar a Sara, sin acordarse de que estaba embarazada de Abraham gracias a Sara. Es como aquel proverbio bíblico que dice:

"Por tres cosas tiembla la tierra, y por una cuarta no se puede sostener: por el esclavo cuando llega a ser rey, por el necio cuando se sacia de pan, por la mujer odiada cuando se casa, y por la sierva cuando suplanta a su señora."

Proverbios 30:21-23

Sara disgustada por su comportamiento ingrato e irrespetuoso empezó a ser grosera con Agar, quien huyó a causa de su orgullo y extrema sensibilidad. El Ángel del Señor la encontró en el desierto y, habiéndola observado durante todo aquel tiempo, le preguntó de dónde venía y hacia dónde iba. Está claro que no tenía la respuesta a Su pregunta, entonces, le dijo que estaba huyendo de Sara, su señora. El Ángel, simplemente le dijo: *"Vuelve a tu señora y sométete a su autoridad [...] Multiplicaré de tal manera tu descendencia que no se podrá contar por su multitud"* (Génesis 16:9,10). En otras palabras: "Vuelve a tu sitio, como una sierva, que Yo te bendeciré."

Muchos problemas hoy en día, son consecuencia de este tipo de comportamiento. Las personas no saben cuál es su lugar en la sociedad, el matrimonio, las relaciones, en su trabajo, etc. Agar era sierva de un matrimonio bendecido, pero aún así, se olvidó de ponerse en su lugar como sierva e intentó adquirir por la fuerza una posición que no le pertenecía. Fue así que generó todos los problemas de los que oímos hablar hasta hoy. Si Agar hubiese escuchado al Ángel y se hubiese sometido a su señora, Ismael, su hijo, habría crecido como un hombre de Dios y, seguramente no habría concebido un pueblo lleno de rencor contra la generación de su propio hermano. Si al menos Ismael hubiese sido criado por Abraham y Sara...

La mujer sabia sabe cuál es su lugar, ya sea en casa o en la iglesia; sabe lo que se espera de ella y así se comporta como una excelente sierva para su Señor y Salvador. Le servirá a través de su marido, sus hijos, su país, del cuidado de la casa y del trabajo, a través de los otros y también de su propio cuerpo. Cuando reconocemos nuestro lugar, todo en la vida comienza a encajar, pues el Propio Dios se ocupa de eso. ¿Cuál es tu lugar? Piensa en esto.

Notas

_____

_____

_____

_____

_____

_____

_____

_____

_____

Conclusiones precipitadas

*Y*o no sé por qué hacemos eso, pero se ha comprobado que está en nuestra naturaleza sacar conclusiones de ciertas cosas y personas sin tener ninguna evidencia. Miramos hacia alguien y rápidamente juzgamos a aquella persona por la ropa, el color de su piel, su manera de andar y muchas otras cosas que observamos tan sólo con echar un vistazo en ella. Somos difíciles de agradar... Si el pelo no está bien arreglado, pensamos que es descuidada; si el cabello está bien arreglado, pensamos que es presumida; si sonríe a todos, pensamos que está exagerando; si no sonríe a nadie, la encontramos muy orgullosa. Y nuestras reglas no se acaban ahí... Tengo vergüenza de decir que ya estuve en los dos lados: Ya fui juzgada y ya juzgué. Cuando juzgué a una persona y después descubrí que estaba totalmente equivocada al respecto, me sentí la peor amiga que alguien pueda tener. Mis pensamientos sobre aquella persona eran malos, rabiosos y maliciosos y, cuando pienso en eso, me siento muy avergonzada, especialmente porque esa persona acabó revelándose como una mujer maravillosa. En aquella época en que saqué esas conclusiones, pensaba que esa persona era una mujer vacía que estaba intentando ser lo que no era. Algunos años después, la conocí mejor y me di cuenta de que la había juzgado de manera equivocada. Ella no sabía nada, pero Dios había visto cómo mis ojos eran impuros contra ella. Si pudiese volver atrás, jamás dejaría que aquellos pensamientos inútiles invadieran mi mente.

Pero también me encontré en una situación en la que fui juzgada – en realidad varias veces. Me sentí tan injusticiada. Quería probar lo contrario, quería decir algo, pero ¿cómo haría eso? Hubo una vez que quise tanto demostrarles que estaban equivocadas respecto a mí, que no descansé hasta el día en que hice lo siguiente: Me esforcé de todas las maneras para que viesen que yo no era como pensaban, pero nada de lo que hice o hablé cambió su opinión. Hasta que crecí espiritualmente y me di cuenta que no debería perder mi tiempo y mi vida intentando demostrar a los demás que estaban equivocadas respecto a mí, pues yo nunca lograría agradarles o responder a las expectativas de todos; a fin de cuentas, soy humana. A veces, nos olvidamos que somos humanas y por lo tanto sujetas a errores. Nunca seremos lo suficientemente buenas para las personas, y no hay ningún problema al respecto pues no necesitamos ser buenas para ellas. Dios nos escogió tal y como somos, llenas de errores y defectos, Él conocía todas nuestras debilidades y, aún así, nos escogió de entre tantas mujeres del mundo que tienen más estudios, más éxito y mucho más de todo. ¿Alguien puede desear algo más que ser seleccionada entre millares y millares de mujeres para marcar la diferencia por su fe?

Querida lectora, fuiste escogida por Dios para ser esa mujer increíble, no importando lo que ya fuiste o hiciste. No pierdas ese premio intentando impresionar a las personas que no marcarán ninguna diferencia en tu vida. Impresiona a Aquél que lo merece; dale lo mejor, dale todo, y verás Su justicia en tu vida.

Notas

¿Ser o no ser? Esa es la cuestión

Cómo es posible que alguien pueda tener una vida plena si en todo momento se hace esta misma pregunta? Es una pena ver mujeres que tienen un enorme potencial haciéndose a sí mismas este tipo de preguntas, sin saber realmente lo que son y lo que deberían ser. Viven en un mundo donde los sueños solamente acontecen cuando están durmiendo; para ellas, vivir es una carga.

El mundo saca provecho de esta situación y les ofrecen muchas alternativas para que huyan de la realidad, tales como: "Mira esta novela y observa como los demás también tienen problemas", "Vete de vacaciones al Caribe o, si no, "¿Por qué no te haces una cirugía plástica y te conviertes en una nueva mujer?" Sólo que en realidad, las novelas son fruto de la imaginación de alguien y siempre acaban de la manera que más agrada a los telespectadores. Respecto a los viajes, tú y yo sabemos que pueden ser relajantes, pero no resuelven los problemas -¿o sí los resuelven? ¿Y qué decir sobre la cirugía plástica? ¿Cómo podrán unas cirugías superficiales arreglar lo que está estropeado en lo más íntimo del corazón? La verdad es que nada de este mundo puede llenar el vacío que toda persona tiene dentro de sí. Dinero, poder, posición e incluso otra persona, no son capaces de completar a alguien. Siempre existirá una pregunta: "¿Ser o no ser?, ¿por qué nací? o ¿por qué estoy aquí?".

Sal de tu mundo y observa lo que está a tu alrededor. Contempla la grandeza de los cielos, el milagro de la vida, la inmensidad del mar, la sorprendente capacidad que tienen los animales para cuidar de sí mismos, la infalible agenda de la naturaleza... ¿Cómo sería posible todo esto si Alguien no nos hubiese creado de esa forma? ¿Cómo es posible que alguien crea que una molécula cualquiera, haya creado todo lo que vemos hoy? Se necesita tener más fe para creer en esa teoría que para creer en lo obvio: ¡Dios existe! Mientras vivas tu vida sin entender el motivo por el que fuiste creada, nunca serás feliz. No importa si eres rica o famosa, si tienes familia o no – la felicidad sólo será posible cuando encuentres la respuesta a esa pregunta.

Antes de tener un encuentro con mi Creador, tenía muchas dudas. Quería saber el por qué de mi existencia y cómo había empezado todo. Sabía que la respuesta estaba delante de mí, pero simplemente no conseguía entenderlo. Sabía que Dios existía, pues había estado aprendiendo sobre Él durante toda mi vida, pero todavía no Le conocía personalmente – éste es uno de los mayores problemas que enfrentan las personas en todo el mundo. Muchas de nosotras oímos y aprendemos sobre Dios pero, aún así, no encontramos respuestas para tantas preguntas. No basta tener conocimientos sobre Dios, eso no llena el vacío que hay dentro de una persona. Solamente cuando conocí a Dios personalmente, ese vacío se llenó y nunca más fui la misma. En aquel momento encontré la felicidad. Empecé a tener la seguridad de quién era yo y qué estaba haciendo. Descubrí de dónde vine y por qué vine. Todo empezó a tener sentido y me sentí completa.

¿Ser o no ser? Conoce a Dios personalmente y nunca más te harás esta pregunta.

Notas

_____

_____

_____

_____

_____

_____

_____

_____

_____

_____

Espejo, espejito...

Te despiertas por la mañana y lo primero que haces es mirarte en el espejo. A veces, para verte el rostro, otras, para descubrir lo que aquella persona del espejo quiere de la vida... Sin maquillaje, despeinada, cansada, con los ojos hinchados y un enorme signo de interrogación flotando sobre la cabeza; te preguntas si tu apariencia tiene algo que ver con el rumbo que ha tomado tu matrimonio o simplemente, con el hecho de que no consigues atraer al hombre adecuado. Entonces, aquellos comentarios groseros que cierto muchacho hizo o aquellas bromas de mal gusto de las amistades, comienzan a bombardear tu mente: "¿Será verdad? ¿No soy lo suficientemente buena? O, ¿hay algo malo en mí? Te preguntas sin encontrar respuesta. ¿Ya te detuviste a pensar por qué el espejo te refleja de esa manera? Las personas suelen decir que lo importante es la belleza interior, pero ¿por qué hay tantas mujeres, considerablemente amables y con buen carácter que viven tan tristes e insatisfechas? ¿Qué intenta decirte tu espejo? Llegamos a la conclusión de que la belleza interior no es suficiente para hacer que una mujer se mire al espejo y le guste lo que ve. Tampoco depende de la apariencia, pues hay muchas mujeres extremadamente bellas que, cuando se miran en el espejo, se odian y, por eso, acaban consumiendo drogas y otras cosas para olvidar la vida sin sentido que llevan. Puedes tener una familia adorable, un marido que te ame, una casa preciosa, un empleo perfecto y aún así, nada de eso será suficiente y el espejo continuará intentado decirte algo.

En realidad, tenemos que ir a la fuente, al principio de todo, para que podamos descubrir el por qué de tanta insatisfacción. Un día, hace miles de años, la primera mujer fue creada. Eva vivía en el paraíso y tenía de todo; se sentía feliz y realizada en todos los sentidos. El plan de Dios era que diese a luz a otras muchas mujeres que serían tan felices como ella. Aun así, Eva decidió andar sola, según el deseo de su corazón, y de este modo acabó abandonando a su Creador, su Padre y Mejor Amigo. Desde entonces, nosotras, las mujeres, hemos nacido sin tener la menor noción de cuán especiales somos. Y ¿por qué? ¡Porque no entendemos que sólo estaremos realizadas cuando busquemos al Verdadero Amor y Tesoro del corazón, además del Mejor Amigo y Padre! Damos vueltas y perdemos el tiempo en busca del hombre perfecto, cuando verdaderamente la única manera de encontrarlo es por medio de la fe. Hay muchas mujeres orando y luchando para que sus maridos cambien, pero ese cambio sólo puede suceder a través de la relación con Dios.

El Salmo 90:17 dice: *"Y sea la gracia del Señor nuestro Dios sobre nosotros..."* Exactamente eso, es lo que tu espejo ha intentado decirte cada vez que te miras en él y le preguntas qué más se puede hacer para que seas más bella. Necesitas a Dios, pero no como si Él fuese uno de esos dioses que hay en el mundo; Lo necesitas más de lo que necesitas un marido, un novio, un amigo, un hijo... ¡Más incluso que Tu propia vida! Tener la presencia de Dios no es apenas creer, sino tener una verdadera y profunda relación con Él. Cuando eso suceda, lo sabrás, porque cada vez que te mires en el espejo te sentirás feliz – incluso cuando no haya nada ni nadie a tu lado a quien puedas apegarte.

No hay nada malo en ti. Sólo necesitas conocer a tu Creador, y así tendrás todo lo que necesitas para sentirte feliz y realizada.

Notas

_____

_____

_____

_____

_____

Camaleonas

*H*oy en día es frecuente ver a chicas jóvenes que quieren parecerse a aquellas que son más populares. Desean vestirse igual, tener las mismas amigas e incluso hablar de la misma manera. Algunas llegan al colmo de ser groseras y, generalmente, los padres son los primeros en sufrir con este tipo de comportamiento, hasta que crecen, maduran y asumen su verdadera identidad. Entonces empiezan a vestirse de la forma que les gusta y hacen amistades con personas con las que sienten afinidad.

Un bonito día, tienen un encuentro con Dios y todo empieza a cambiar. Todo lo que desean es agradarle y servirle. Algunas, prácticamente viven en la iglesia, siempre activas en los grupos y demás actividades. No pasan mucho tiempo con la familia. Sin embargo, las cosas comienzan a cambiar y, una vez más, comienzan a mirar de nuevo y a comportarse exactamente como las otras mujeres. Miran hacia las obreras y la esposa del pastor e, inmediatamente, deciden que es el momento de volver a los viejos tiempos: Es hora de parecerse a alguien. Y, de este modo, surgen las actrices de Dios. Me pregunto: ¿Por qué intentar ser alguien que no se es? ¿Por qué ser igual que todo el mundo? De repente, pierden la personalidad y se vuelven personas totalmente diferentes. Algunas llegan a pensar que sólo están madurando, pero yo te digo: No están siendo ellas mismas.

Cuando te vuelves una verdadera cristiana, dejas de sentir, pensar y hacer aquello que está mal. ¡Sólo eso! No cambias de personalidad; al contrario, tu personalidad florece. ¡Te vuelves más tú misma! Tu mente empieza a entender las cosas que realmente importan, y madura con el paso del tiempo. El proceso es semejante al de un diamante: Cuando se encuentra en la naturaleza, tiene una apariencia bruta, fea, incluso parece una piedra común; sin embargo, cuando es limpiado y tallado, se convierte en lo que llaman "el mejor amigo de una mujer". Bonito, brillante, resplandeciente – una joya única. Eso es exactamente lo que Dios hace con nosotras. Antes de tener un encuentro con Él, estamos confusas, no sabemos exactamente hacia dónde ir o qué hacer con nuestra vida. Estamos como las demás personas que nos rodean, completamente perdidas e incapaces de asumir el control de nuestra propia vida. Nos sentimos como si estuviésemos en un juego, cuyas reglas no conocemos – ¡y siempre perdemos!

Solamente, en el día de nuestro nuevo nacimiento es cuando comenzamos a ver las cosas de forma diferente. Somos purificadas y moldeadas de manera que perdemos el interés por las cosas malas que hacíamos en el pasado. Nos volvemos bellas de dentro hacia fuera, diferentes de todas las mujeres del mundo, ¡santas y únicas! Seamos nosotras mismas – diferentes, únicas y especiales a nuestra manera. No sigamos a la multitud, intentando ser como Fulana o Beltrana, y sí seamos lo mejor que podemos ser. Ya seas bajita y gordita o tengas un cuerpo de modelo – siéntete orgullosa. ¿Sabes por qué? Porque tu Señor te escogió exactamente así ¿Vale? ¿Eso no significa nada para ti?

Notas

Método de autoayuda

Hay momentos en que nos sentimos inseguras sobre nuestra vida, todo parece estar en contra nuestra, absorbiendo todas nuestras fuerzas. Nos sentimos solas e incomprendidas, incluso por las personas más próximas. En esos momentos, el pensamiento de desaparecer es el que más nos atrae. Empezamos a preguntarnos por qué la fe que usamos ayer tan poderosamente no está preparada para ayudarnos a vencer las adversidades de hoy. Cuando oramos, nuestras palabras parecen ser demasiado simples para poder expresar lo que sentimos y lo único que conseguimos hacer es gemir, esperando que Dios comprenda nuestros sentimientos más profundos. Las personas intentan entendernos, pero lo que sentimos es inexplicable y, si intentamos explicarlo, nos sentimos tontas, ya que las palabras no pueden describir nuestros sentimientos. Toda mujer pasa por esos momentos difíciles. Tú puedes estar llena del Espíritu Santo pero, si eres humana (cosa que yo creo que eres), en un momento u otro pasarás por esos momentos de aflicción. Esto nos recuerda un versículo que dice: *"Mejor es ir a una casa de luto que ir a una casa de banquete [...] Mejor es la tristeza que la risa, porque cuando el rostro está triste el corazón puede estar contento"* (Eclesiastés 7:2,3).

Sólo cuando nos sentimos tristes y solas le damos a Dios una oportunidad de actuar en nosotras. Nadie se queda con el corazón alegre cuando se arrepiente de algún error que cometió; por lo contrario, en los momentos en que nos estamos arrepintiendo, lamentamos lo que hicimos y nos sentimos avergonzadas; eso hace que tomemos la decisión de no cometer nunca más el mismo error. En esos momentos de aflicción, sentir pena de una misma y aislarse por los rincones con la esperanza de que todo pase, no conduce a ninguna parte. En vez de eso, debemos usar el método de autoayuda que ha demostrado ser el más eficaz a lo largo de los siglos: la oración.

La oración es la habilidad de comunicarse con el Único que realmente puede ayudarnos en los momentos difíciles. Ella funcionó y todavía funciona en la vida de millones de personas en todo el mundo, incluso en la mía. Cuando oro, me gusta pensar que soy una niña hablando con mi padre. No tengo que parecer madura, hablo lo que siento, sin preocuparme con la pronunciación correcta de las palabras o si lo que estoy diciendo es correcto. Intento ser yo misma delante de Dios y, esto, es suficiente para Él. Me siento libre para decirle cosas que no le diría a nadie más, pues es el Único que me entiende perfectamente.

Nosotras, mujeres, perdemos mucho en este aspecto. Generalmente nos abrimos con nuestras amigas y les contamos todo lo que pasa en nuestro interior, pensando que nos entienden. Pero, ¿de verdad nos entienden? A la mayoría de los hombres que conozco les parece muy difícil entender a las mujeres – en realidad, me parece que ni ellas mismas se entienden. Aun así, Dios nos entiende. Él nos creó y, por eso, nos conoce por dentro y por fuera. Entiende el por qué de nuestras actitudes y quiere que sepamos que nos puede ayudar, es suficiente con que conversemos con Él de todo nuestro corazón. No te preocupes si no sabes orar, pues la oración no requiere ningún conocimiento, sino solamente sinceridad y fe. Si estás orando con sinceridad en tu corazón y crees que Dios te está escuchando, eso ya es suficiente porque Él ciertamente está a tu lado. Si estás pasando por momentos difíciles, ¡Él está todavía más cerca de ti! Dios está cerca de aquellas personas cuyos corazones se encuentran partidos, pues es en ese momento que Lo buscan más. Como leímos en el versículo anterior, *"porque cuando el rostro está triste el corazón puede estar contento."*

La experiencia de hablar con nuestro Creador es tan maravillosa que si pudiésemos, detendríamos el tiempo y nos quedaríamos en su presencia para siempre. Es interesante darse cuenta que fácilmente nos olvidamos de ese sentimiento cuando estamos ocupadas y, de repente, viene a nuestra mente la tentación de orar con el pensamiento. Nos parece que no podemos parar para conversar con Dios por el hecho de que tenemos cosas que hacer y sitios a donde ir; simplemente no tenemos tiempo suficiente para orar. De esta forma, somos conducidas a momentos de luchas y tribulaciones y, rápidamente, ¡encontramos tiempo para orar!

La verdad es que cuando estamos alegres tendemos a distanciarnos de Dios. Rápidamente nos olvidamos de Su presencia en nuestra vida y pasamos a dedicar nuestro tiempo a cosas que no nos traen ningún beneficio. Somos obstinadas pero aún así, Dios nos entiende y está listo para extendernos Su mano amiga cuando nos volvemos hacia Él. La oración vence la depresión, los pensamientos de suicidio, la inseguridad, el vacío del alma y las decepciones; conforta cuando se pierde a un ser querido; neutraliza la rabia, la ansiedad, el estrés, etc. ¿Conoces otro método de autoayuda más eficaz que éste?

Notas

_____

_____

_____

_____

_____

_____

_____

_____

_____

Toda la belleza del mundo

A muchas mujeres les gustaría ser tan bonitas como las celebridades que frecuentemente se ven en películas y revistas. Todas parecen que tienen el rostro, la piel y el cuerpo perfecto. Sus vidas son fascinantes, siempre viajando por el mundo entero, fiestas que nunca acaban, admiradas por todos y con dinero para comprar lo que quieran. Pero, esa belleza que poseen, es superficial; forma parte de la vida pública que llevan. Sería una injusticia por nuestra parte hablar de su vida privada ya que no las conocemos personalmente. Aun así, si llevásemos la cuenta de las relaciones fracasadas, suicidios e intentos de suicidio, problemas con el alcohol y las drogas, etc., llegaremos a la conclusión de que sus vidas están bien lejos de ser perfectas. La realidad es que la belleza que ostentan es solamente externa y, con el paso del tiempo, se acaba. En breve, las celebridades de hoy, serán sustituidas por otras nuevas estrellas.

Si queremos ser las mujeres más bellas del mundo, necesitamos dejar de buscar en el sitio equivocado. Entonces, ¿cuál es el secreto? Es obvio que debemos cuidar de nuestra apariencia, pero nuestra principal preocupación debe ser obtener y mantener la belleza que sólo Dios puede dar. La mujer de Dios es muy bella. No necesita maquillaje o cremas especiales para realzar su belleza, pues su presencia ya es suficiente. Su sonrisa sincera hace que las personas quieran conocer su "secreto". Tiene una suavidad angelical en su forma de hablar, sus ropas no son extravagantes o brillantes pero, aún así, su presencia ilumina cualquier ambiente; puede incluso no ser famosa, pero las personas que la conocen desean ser iguales a ella; puede ser joven y no tener mucha experiencia, pero sus actitudes revelan su cuidado y amor; sus hijos quieren crecer y casarse con alguien semejante a su madre; su marido siente orgullo de tenerla como esposa y adora estar en su compañía; sus amigas quieren siempre saber lo que la hace ser tan diferente. La respuesta es: Ella encontró al Autor de la belleza. Cuando una mujer encuentra a Dios, se vuelve como Él y, a través de ella, toda su familia y amigos pueden ser bendecidos. Pasa a ser la luz, y donde quiera que va, disipa todas las tinieblas. Esto la convierte en la mujer más bonita del mundo. Si queremos volvernos mujeres de Dios y tener un encuentro con Él, en primer lugar necesitamos quitar todas las cosas que pueden impedir que habite en nosotras. Dios es Perfecto, Santo, Puro, Bueno y mucho más.

Para que podamos encontrarlo, tenemos que quitar todo lo que es contrario a Su naturaleza: pensamientos impuros, envidia, celos, conversaciones maliciosas, cotilleos, malas intenciones y todo lo que hace que nuestra conciencia sea impura. Solamente cuando quitemos todas estas cosas, estaremos preparadas para conocer a Dios. El pasado y todas las demás cosas que hayan ocurrido en nuestra vida, serán completamente borrados, como si nunca hubiesen existido y nos convertiremos en mujeres totalmente nuevas. ¡Es simplemente increíble!

Ésta es la experiencia más maravillosa que alguien puede desear tener. El encuentro con Dios nos hace levantarnos cada mañana con el deseo de vivir. Decepciones y problemas no nos desaniman, pues tenemos la seguridad de que la fuerza de Dios dentro de nosotras nos conducirá a la victoria. Para tener ese encuentro con Dios, tú debes participar en las reuniones del miércoles y del domingo. No importa tu pasado, lo que hiciste mal o cuál sea tu religión, Dios quiere hacerte bella por dentro y por fuera.

Notas

_____

_____

_____

_____

Agradecida

ℰs muy importante agradecer a Dios por nuestra vida, pues el Señor Jesús pagó un alto precio para conquistarla. Infelizmente, muchas mujeres llegan a Jesús prácticamente arrastrándose y, después de ser limpiadas, alimentadas, teniendo con qué vestirse y habiendo sido bendecidas con una vida mejor, rápidamente se olvidan de dónde vinieron y comienzan a reclamar diciendo que la vida no está como esperaban que estuviese. Y es, exactamente por eso, por lo que las bendiciones que fueron prometidas por Dios no se hacen realidad en sus vidas. Lo cierto es que Dios quiere continuar derramando Sus bendiciones sobre nosotras, pero ¿cómo puede hacerlo si estamos siempre reclamando, perdiendo las esperanzas, dudando y queriendo desistir?

Es muy fácil olvidarse de las cosas que conquistamos hasta ahora, aún así, jamás nos olvidamos de las cosas que queremos conquistar. La mujer que no está agradecida por las bendiciones que recibe, con total seguridad tendrá dificultades para poder ver más bendiciones viniendo a su encuentro.

¿Por qué no estar agradecida con el amor que conquistaste al encontrar al Señor Jesús? ¿Consigues acordarte de alguien que te haya amado tanto como Él? ¿Por qué no estar agradecida por la paz que sientes cuando pones la cabeza en la almohada? ¿O tal vez ya te olvidaste de aquellas noches en vela? ¿Alguna vez te has sentido tan feliz y radiante como cuando estás en la presencia de Dios? ¿O ya estuviste tan segura de a dónde ir como lo estás ahora? Simplemente, mira a tu alrededor, observa cuántas cosas cambiaron en tu vida y agradece por esos cambios, pues ¡no habrían ocurrido si no hubieses conocido al Señor Jesús!

Cada vez que te sientes desanimada por algo que viste o escuchaste, acuérdate de que Dios está a tu lado. Él sabe todo lo que ocurre en tu vida y quiere cuidarte. ¡Solamente sé grata con Él y no te desanimes nunca!

Una de las enseñanzas más preciosas que recibí de mi padre fue que mi fe es la cosa más importante que tengo y que nunca debo permitir que nada, ni nadie, me la quite. Sé que existen situaciones en la vida que nos dejan confusas y hasta débiles en la fe, pero ¿sabes una cosa? ¡En esos momentos es cuando Dios está más cerca de nosotras! Lo mejor que puedes hacer cuando te sientes así es orar, desahogarte delante de Dios y, después, irte a la cama, dejando así que el día se acabe antes.

Sé grata por tu marido, pues muchas mujeres darían todo para tener a alguien a su lado en este exacto momento. Sé grata por tu hijo, pues en breve crecerá, saldrá de debajo de tus alas y te "morirás de nostalgia". Sé grata por tu familia, pueden estar llenos de defectos, pero te aman. Sé grata por tu trabajo y sé útil en todo lo que hagas y, más adelante, estarán agradecidos por tenerte cerca. Sé grata por tu hogar, pues él es tu descanso en este mundo tan hostil. Sé grata por tu vida, pues fue comprada por un precio muy alto – ¡la vida de nuestro Señor Jesús!

Notas

_____

_____

_____

_____

_____

_____

_____

_____

_____

El error de Eva

$\mathcal{S}$on muchas las veces que fallamos en nuestra prueba como madre, esposa e, incluso, como amiga y no sabemos el por qué. Sin encontrar la respuesta, culpamos a todo y a todos y a veces, hasta a Dios. Pero, ¿qué tal si miramos ahora hacia el ejemplo de las mujeres de Dios? ¿Por qué ellas nos inspiran? ¿Cuál es el secreto de esas mujeres que encontramos en la Biblia y en nuestra vida? ¿Qué tienen de especial que hace que sean tan bien recordadas y honradas? ¿Sabías que la mujer tiene el poder de colocar al hombre en lo más alto, pero también, de lanzarlo en el pozo más profundo? ¿Qué poder es éste?

Cuando consideramos a Eva, tenemos un ejemplo clásico de ese poder de acción. Ella influyó en su marido de tal manera que él fue capaz de desobedecer al Propio Creador. Su actitud hizo que el pecado entrase en el mundo. Desde entonces, existen mujeres y mujeres – las que inspiran y las que traen vergüenza. Vamos a meditar en la vida de Eva y a descubrir, de una vez por todas, qué es lo que nos hace capaces de causar tantos problemas. Realmente, Eva era perfecta y muy hermosa. En su vida, encontró a un hombre perfecto que la amaba y ambos vivían en un paraíso más allá de la imaginación. Eva era más feliz de lo que cualquier mujer podría desear ser, pues no tenía malos recuerdos, no tenía un pasado, nunca había derramado lágrimas de decepción, no estaba enferma o con dolores; en fin, no le faltaba nada. Su vida se resumía en vivir de lo bueno y de lo mejor al lado de su marido.

Sin embargo, cierto día, cuando Eva paseaba sola, una serpiente, sutilmente se aproximó a ella e intentó inducirla a creer en una mentira. Al principio, Eva rechazó lo que la serpiente le decía y permaneció firme en lo que sabía que era correcto. Sin embargo, tan pronto como la serpiente le ofreció la habilidad de descubrir lo que, hasta entonces, le era desconocido, Eva rápidamente aceptó la sugerencia y comió del fruto del árbol prohibido. Confió en la serpiente no porque fuese mala o porque quisiera ir en contra de Dios, sino porque era una mujer ingenua e inocente que creía que aquella era la oportunidad para realizarse. Y, con su inocencia, indujo a su marido a hacer lo mismo, pensando que le estaba haciendo un favor. Debido a un simple, pero terrible mal entendido, trajo el mal para su vida, para la vida de su marido, para la vida de sus hijos y para todas nosotras.

La Biblia dice: *"El simple todo lo cree, pero el prudente mira bien sus pasos"* (Proverbios 14:15). En otras palabras, la mujer puede ser de Dios, pero si es ingenua podrá ser usada por el diablo, así como las personas que le pertenecen. A través de sus palabras y actitudes, causará la separación de la propia familia, traumas en sus hijos, disgustos para su marido y malos recuerdos para todos sus amigos. Dios dice: *"¿Hasta cuando, oh simples, amaréis la simpleza...?"* (Proverbios 1:22).

Sabiduría es saber cómo hablar y lidiar con aquellos que están cerca de nosotros. Ella se encuentra cuando la buscamos de todo nuestro corazón, como nos prometió Dios en el libro de Proverbios. Muchas mujeres piensan que ya lo saben todo y por eso nunca alcanzan la sabiduría. Solamente aquellas que realmente sienten la necesidad de tenerla, la encontrarán. Si humildemente pides a Dios sabiduría y la buscas de todo tu corazón, estando preparada para cambiar tu forma de ser, sin importarte tu pasado o cultura, Dios, alegremente, te concederá Su sabiduría. De esta forma, también serás una mujer que inspirarás y serás honrada por todos aquellos que tengan el privilegio de conocerte.

La habilidad que tenemos para cambiar la vida de un hombre se revela con claridad por el apóstol Pedro cuando dice:

"Asimismo vosotras, mujeres, estad sujetas a vuestros maridos, de modo que si algunos de ellos son desobedientes a la palabra, puedan ser ganados sin palabra alguna por la conducta de sus mujeres, al observar vuestra conducta casta y respetuosa."

1 Pedro 3:1,2

¿Consigues ahora imaginar el poder que tiene la mujer? Es interesante observar que Dios no menciona esa habilidad en el hombre. Nosotras, mujeres podemos hasta ser los "vasos más frágiles", pero con seguridad, ¡somos vasos verdaderamente importantes!

Notas

_____

_____

_____

_____

_____

_____

_____

_____

_____

Inconveniente... ¿Yo?

Érase una vez una mujer que, por alguna razón, era evitada por todos los que la conocían. Había noches que lloraba sola hasta dormirse, preguntándose a sí misma qué estaba mal en ella. Siempre escuchaba hablar de lo bueno que era tener amigas, pero nunca tuvo ni tan siquiera una. Un día, finalmente se llenó de valor y le preguntó a alguien lo que pensaba de ella. En ese momento descubrió que sus actitudes eran incorrectas.

Actitudes inadecuadas también incluyen palabras y comportamientos que lastiman y distancian a las personas. Tú puedes tener un buen motivo para estar enfadada, pero una actitud equivocada acaba por quitarte la razón y hacer que te conviertas en un problema. La mayoría de las veces, las personas que no saben controlar sus actitudes no se dan cuenta de eso y, normalmente, piensan que lo que ellas dicen o hacen cuando están con rabia es necesario para que el problema se resuelva.

La cuestión es que nunca se deben tomar decisiones cuando se pierde la calma. Muchas no consiguen entender eso y acaban hablando y tomando actitudes llevadas por sus emociones. En otras palabras, cuando pierdes la paciencia con alguien, tú pasas a estar equivocada y, la otra persona, en vez de mirar sus propios errores, sólo conseguirá ver los errores que cometas. La persona se vuelve desagradable no solamente con aquellas que la conocen, sino también, con las que perdieron el interés en conocerla debido a los malos comentarios que oyeron. Esto ocurre porque las personas nunca consiguen prever cuál será su reacción si se acercan a ella. Es casi como si la persona pudiese transformarse en el Increíble Hulk en cualquier momento.

La situación es todavía peor para aquellas mujeres que, supuestamente, son amables y gentiles, pero que discuten en la caja del banco o con los vendedores en el mercado y, por eso, son vistas como clientas complicadas. Cuando perdemos el control, perdemos nuestra belleza en un abrir y cerrar de ojos y nos convertimos en el propio problema. Tengo la seguridad de que estarás de acuerdo conmigo en que el testimonio de una mujer perdiendo la calma y empezando un gran desorden público es simplemente una vergüenza, aún más para aquellas que dicen ser cristianas.

Una persona tiene problemas de comportamiento cuando constantemente reprende a otras personas con gritos y amenazas. El hecho es que, si a ti no te gustó lo que viste o escuchaste, eso no te da el derecho de reprender a los demás de la misma forma ¿no crees? En lugar de eso, cuenta hasta diez o incluso hasta cien, y deja que aquel momento pase. Siempre podrás enfrentar la situación al día siguiente, cuando estés más tranquila y sepas qué actitud debes tomar.

Las mujeres con problemas de comportamiento, tienen dificultades para encontrar amigas, pues es muy difícil convivir con ellas. En vez de conseguir el resultado que desean, ser acogidas y respetadas, consiguen lo contrario. No hay nada malo en exigir nuestros derechos, pero jamás debemos usarlos como pretexto para faltar al respeto a los demás.

La Biblia dice en Proverbios 27:15 que: *"Gotera continua en día de lluvia y mujer rencillosa, son semejantes."* La mujer con problemas de comportamiento está siendo comparada con uno de los ruidos más irritantes del mundo: el goteo continuo. ¿Quién puede tolerar eso?

Notas

Harta de sí misma

A veces, la única manera de cambiar una situación es hartarnos de ella. Lo que no faltan son mensajes sobre el poder de decir un "basta" a nuestros problemas, pero siempre me pregunto por qué tantas mujeres no consiguen entender el espíritu de tales mensajes. Hay situaciones en nuestra vida que preferimos dejar a un lado, con la ilusión de que desaparezcan cuando menos lo esperemos; pero en lugar de eso, se complican cada vez más a medida que pasa el tiempo, hasta que llegamos a la conclusión de que son demasiado delicadas y, por eso, es mejor dejarlas como están.

Algunas personas piensan así: "Yo soy así y las personas tendrán que acostumbrarse a mi manera de ser". De esta forma, esa actitud puede convertirse en un peso para otras personas, y también puede levantar una gran barrera para aquellas que desean acercarse. Yo tenía la costumbre de pensar de esa forma hasta el día en que aprendí que podría ser y hacer lo que yo quisiera. Primero luché mucho, quedé un poco enredada haciendo cosas que nadie jamás me había visto hacer, pero continué con determinación. Con el paso del tiempo se fueron volviendo cada vez más fáciles y ya no necesitaba esforzarme tanto para hacerlas.

Llega un momento en nuestra vida en que algunas cosas tienen que ceder y otras tienen que ser cambiadas. Y es en ese momento en el que damos un BASTA a algunas situaciones, que salimos de nuestro estado normal y nos impregnamos del "poder del basta". ¡Yo hice eso y salió bien!

Dios está dándonos oportunidades constantemente para cambiar, pero nos corresponde a nosotras aceptarlas. Es como una planta en una maceta si no la podamos, crecerá hasta que la maceta no pueda aguantar; se debilitará y, con el tiempo, morirá. Necesitamos "ser podadas" de vez en cuando. Hay cosas en nosotras que solamente están ocupando espacio y, como consecuencia, nos impiden crecer, convertirnos en mujeres y marcar la diferencia en la vida de nuestros amigos, parientes y familiares. Obviamente, la "poda" duele. En el caso de las plantas, al principio, se quedan feas y sin vida. En nuestro caso, la poda nos hace sentir avergonzadas y humilladas; sin embargo, tal y como sucede con las plantas, nos convertimos en mujeres más fuertes, bonitas y mejores – cuyo ejemplo inspira a otras mujeres.

Dios quiere que seamos como una hermosa planta que decora este mundo de una forma muy bella, exhalando una fragancia especial, inspirando a muchas otras mujeres y marcando la diferencia en este mundo extraño y loco. Él quiere que seamos útiles, pero depende de nosotras aceptarlo o no. Cuando una planta no sirve para adornar, generalmente la escondemos en algún lugar de la casa, la colocamos en el patio o si no, la tiramos. Sin embargo, las más bonitas están siempre en los mejores lugares de la casa para que se vean. ¿No ocurre lo mismo con nosotras también? Las mujeres que están siempre causando problemas son dejadas de lado, solas. Por otro lado, qué bueno es estar entre las mujeres que constantemente cambian para mejor.

Usa el "poder del basta" dentro de ti y cambia. Deja que la mujer de Dios que hay dentro de ti viva por mucho tiempo y libremente. No se trata de quién tú eres sino del tipo de mujer que Dios quiere que seas.

Notas

_____

_____

_____

_____

_____

_____

_____

_____

Raquel & Lea

No se hace mucha referencia a Lea cuando se habla de las mujeres de la Biblia, pero aún así, es una mujer digna de admiración. Fue rechazada, humillada y vivió en soledad; aún así, en vez de revelarse contra Dios, se volvió hacia Él, convirtiéndose en una mujer de Dios. Se suele hablar más sobre Raquel, su hermana, que aparece primero en la Biblia. La historia de Lea comienza cuando su padre con la intención de engañar a Jacob, la da en matrimonio en el lugar de su hermana. Ella era rechazada en su casa por el hecho de tener un defecto físico y ahora, por primera vez, tenía la oportunidad de ser respetada como esposa de Jacob. Sin embargo, su alegría duró apenas una noche, pues volvió a ser rechazada y humillada cuando Jacob demostró una total desilusión al descubrir que no se había casado con Raquel.

Raquel, su hermana pequeña, a quien pertenecía el corazón de Jacob, apareció nuevamente, casándose con Jacob y dejando a Lea como concubina. Fue ahí, cuando Lea empezó a tener una relación con Dios, a quien debe haber conocido a través del testimonio vivo de Jacob. Al contrario que su hermana, creció cada vez más cerca de Dios, quien viendo su situación, comenzó a bendecirla dándole hijos. Por otro lado, Raquel tenía buena apariencia y el amor de Jacob, pero no tenía la misma fe y, obviamente, no era bendecida por Dios. Cuando observó que no estaba dando hijos a Jacob, empezó a envidiar a su hermana Lea y le dijo a Jacob: *"Dame hijos, o si no, me muero."* Entonces, se encendió la ira de Jacob contra Raquel y dijo: *¿Estoy yo en lugar de Dios, que te ha negado el fruto de tu vientre?"* (Génesis 30:1,2). A pesar del hecho de no poder tener hijos, Raquel tenía muchas razones para ser feliz. Pero su envida la cegó de tal manera que no conseguía ver que su hermana estaba finalmente venciendo en la vida. Todo en lo que Raquel conseguía pensar era en que su hermana estaba ganándola y que su mundo perfecto se estaba quedando demasiado pequeño para las dos.

Raquel utilizó a sus siervas para que durmieran con Jacob y ponía nombre a cada hijo, según la indignación que sentía. Uno de los nombres, en particular, reveló con exactitud el sentimiento que alimentaba contra su hermana: *"Y Raquel dijo: Con grandes luchas he luchado con mi hermana, y ciertamente, he prevalecido. Y le puso por nombre Neftalí"* (Génesis 30:8). Es interesante percibir lo diferente que eran una de la otra. Mientras que Lea estaba agradecida porque Dios la había bendecido con hijos, Raquel no conseguía sentir otra cosa que no fuera envidia, hasta el punto de que esa envidia se reveló al nombrar a "sus hijos".

Raquel tenía buena apariencia, popularidad y el amor de Jacob, pero no era una mujer de Dios. Se apoyó en todo eso para ser la esposa perfecta para Jacob, pero incluso así, no era ni se sentía completa. Lea, en cambio, no tenía buena apariencia, siempre fue despreciada, fue considerada un engaño por Jacob pero, aun así, era una mujer de Dios que tuvo al Propio Señor Jesús como Descendiente suyo.

La mujer de Dios puede pasar por momentos muy difíciles, pero siempre mantendrá su integridad. Se alegra cuando otras personas son bendecidas y cree que Dios la bendecirá en el tiempo adecuado. En ningún momento Lea demostró sentir odio hacia Raquel – no podemos decir lo mismo de Raquel hacia Lea. Raquel no tenía la misma fe de Jacob, a fin de cuentas ya tenía su corazón y, por eso, vemos tanta diferencia entre ella y su hermana. Raquel vivía para "ganar puntos", siempre mirando a las otras y envidiándolas – sin importarle lo poco que había para ser envidiado. Ese tipo de mujer mira a las otras de los pies a la cabeza y, a veces hasta las juzga; pero la verdad es que su vida está controlada por la envidia y no consigue soportar la presencia de una mujer de Dios. Puede hacer oraciones, sacrificios y ayunos, pero se acaba volviendo maldecida e incompleta por sus malos ojos. *"Porque donde hay celos y ambición personal, allí hay confusión y toda cosa mala"* (Santiago 3:16). Un día, las mujeres que ella rechazó serán honradas por el Señor Jesús, sin importar su pasado, su apariencia o su falta de popularidad.

Notas

Luchas perdidas

𝒩o lo consigo! Por más que lo intente, no consigo practicar la Palabra de Dios. Y lo peor es que, cuanto más lo intento, menos la practico" – murmuró una muchacha del Grupo Joven después de una reunión. Estaba realmente muy triste, pero al mismo tiempo, a la defensiva. Era como si Dios estuviese exagerando al requerir de nosotras la práctica de Su Palabra. El problema es que, cuando una persona no teme a Dios, se vuelve muy difícil para ella practicar lo que Él dice. Es como una relación entre padre e hijo. Para que un hijo obedezca a los padres, no siempre es necesario enseñarle; debido a la disciplina de los padres, acaba sometiéndose de forma natural, pues entiende que sus padres son mayores y con más experiencia y, por eso, los teme. Una empleada que teme a su jefe siempre hará lo que él le dice, incluso aunque no esté de acuerdo. Le obedece y le respeta como jefe, pues sabe que tiene autoridad para despedirla si fuera el caso.

Muchas mujeres dicen que son "cristianas", pero aun así, no respetan a Dios. Piensan que Él es sólo amor, que jamás se indigna y que está siempre listo para perdonar, incluso aunque sea un minuto después. Viven como quieren y no les importa lo que Dios dice, hasta les gusta ir a la iglesia porque así alivian un poco el peso de la conciencia; sin embargo, sólo el cuerpo va a la iglesia, no el espíritu. La mente se queda pensando en la casa, en el trabajo, en los hijos, en los familiares, en el partido de fútbol, en las novelas, etc. Su vida es completamente diferente de lo que fingen ser. Los domingos se colocan la mejor ropa para impresionar a las demás mujeres; se sientan en el lugar más conveniente para que, tan pronto como acabe la reunión, puedan salir inmediatamente. La verdad es, que malamente pueden esperar a que la reunión acabe porque permanecer allí es una carga para ellas. Intentan, incluso, llegar tarde, a fin de cuentas, la primera parte de la reunión no les interesa mucho.

Ese tipo de mujer "cristiana" no respeta a Dios, no lo lleva en serio y piensa que la salvación es sólo una broma. Vive hablando mal de los demás y sus ojos están siempre juzgando y envidiando a los demás. Su mente está siempre llena de malos pensamientos. Sus pies caminan con pasos largos para unirse con las malas compañías y sus manos son nada más y nada menos que instrumentos para practicar el mal. Es obvio que cuando esta mujer lea este artículo, inmediatamente, se sentirá acusada y juzgada – una señal de que se identifica con él. Y Dios le advierte: *"Y no temáis a los que matan el cuerpo, pero no pueden matar el alma; más bien temed a aquel que puede hacer perecer tanto el alma como el cuerpo en el infierno"* (Mateo 10:28).

Notas

Sonría

     E s deprimente andar por ahí en los días actuales. Son tantas las expresiones de rabia y falta de atención que llegamos a pensar si todavía es una buena idea tener hijos. Constantemente nos encontramos a nuestro alrededor con personas frías e indiferentes. Todos hablan de que el mundo debería estar en paz, pero ¿cómo puede estar en paz el mundo si es tan difícil lograr una sonrisa de alguien que pasa por la calle e, incluso, de un vecino? Las personas ven solamente el sueño que quieren ver realizado, pero no se dan cuenta de lo que falta para que eso suceda.

El problema está dentro de las personas. No se resuelve con acuerdos, conferencias o manifestaciones por la paz, ya que la respuesta está en el corazón. Una persona que no conoce a Dios se siente vacía y vana. Muchas personas dicen que conocen a Dios, pero ¿cómo alguien que Lo conoce puede tener un semblante tan triste? ¡Es imposible! Cuando Lo conocemos, podemos incluso pasar por problemas, pero aún así, tenemos una sonrisa en el rostro. Nuestros problemas son externos y pueden ser vencidos por nuestra fe. Cuando una persona no conoce a Dios, sus problemas empiezan en su interior. Podrá hasta usar su fe para vencerlos pero aun así, no se sentirá completa. *"El corazón gozoso alegra el rostro, pero en la tristeza del corazón se quebranta el espíritu"* (Proverbios 15:13). Querida amiga, si te encuentras siempre abatida y tienes dificultades para sonreír es muy probable que necesites conocer a Dios. Ir a la iglesia no significa que Lo conozcas, tan sólo es donde oyes hablar de Él. En cambio, ese encuentro sólo se producirá cuando admitas que necesitas conocerlo.

Olvídate de tus problemas durante un instante y piensa: Si todos tus problemas se resolviesen ¿serías feliz? ¿Sería suficiente para que tu vida fuese completa? ¿Consigues recordar el tiempo en el que no tenías esos problemas? ¿Te sentías una persona realizada?

Cuando conocemos a Dios nos volvemos sabias, capaces de entender las cosas como ninguna otra persona en el mundo.

"En cambio, el que es espiritual juzga todas las cosas; pero él no es juzgado por nadie. Porque ¿quién ha conocido la mente del Señor, para que le instruya? Mas nosotros tenemos la mente de Cristo."

1 Corintios 2:15,16

Nosotras nos convertimos en Sus hijas. ¿Consigues imaginarte siendo la hija del Altísimo? Empezamos a pensar como Él, a actuar como Él e incluso, nos volvemos parecidas a Él. Ésta es la razón por la cual dar una sonrisa es una tarea extremadamente fácil para nosotras. Las personas nos miran y piensan que no tenemos ningún problema. *"Pero el que se une al Señor, es un espíritu con Él"* (1 Corintios 6:17). Entonces, ¿a que estás esperando? ¿Estás esperando a la vejez para llegar a la conclusión de que desperdiciaste los mejores años de tu vida? ¿Esperando a tener más tiempo y acabar entendiendo que nunca tendrás el suficiente? Sé sabia y conoce a Dios personalmente. Participa en las reuniones de miércoles y de domingo con ese propósito. No te preocupes con lo que te vas a poner, no esperes por tus amigos o familiares – ven tal y como estás. Si estás sola, te sentirás incluso más libre para buscar a Dios. ¡Y en muy poco tiempo sonreirás de dentro hacia fuera!

Notas

La eterna niña egoísta

𝒩o es la manera cómo nos vestimos o cómo cuidamos de aquello que nos pertenece – dinero, ropa, joyas, coche, etc. – lo que revela quienes somos, sino el deseo que tenemos de poseer tales cosas. Hay personas que se apegan a lo que poseen ahora, porque durante toda su vida no tuvieron condiciones de adquirirlas; otras, simplemente por el placer de tener cada vez más y más. Por eso, muchas mujeres acaban perdiendo todo lo que tienen, viviendo sin aquello que necesitan e incluso, pasando necesidades. Nada es suficiente para ellas. La vida no es suficiente. Están siempre deseando tener más de esto o de aquello; se apegan a lo poco que tienen y jamás piensan en compartir. Tal vez al leer este artículo, incluso te sientas indignada, pero puede ser que tú seas exactamente como ellas. Por ejemplo: ¿Cuándo fue la última vez que diste algo a alguien? ¿O cuándo fue la última vez que dejaste de tener algo para ti, con la finalidad de que otra persona pudiera tenerlo, por el simple placer de dar?

Yo aprendí esta lección cuando todavía era muy joven. Mi madre siempre aprovecha todas las oportunidades para ofrecer algo a otras personas. Nosotros no teníamos mucho, pero todas las Navidades, dábamos la mayoría de nuestros juguetes a los niños de las regiones necesitadas de Río de Janeiro. Aprendimos muy pronto a desprendernos de nuestras cosas para que, cuando creciésemos, no influyesen en nuestra forma de ser. Tenía apenas 8 años, pero el placer de ver a otra niña recibir mi mejor muñeca compensaba el sacrificio. Nunca nos habíamos visto antes y, probablemente, nunca volveremos a vernos de nuevo; tal vez ellas hayan entendido el verdadero significado de nuestra actitud. En realidad, nosotras sí que fuimos bendecidas, pues cuanto más dábamos, más Dios nos bendecía.

A mí me parece que el problema está dentro de la persona, cuando no entiende que cuánto más se apega a lo poco que tiene menos tendrá. ¡Está escrito y comprobado! Mira hacia las personas que son egoístas y observa si son felices con lo que tienen... Tengo la seguridad de que no. Nada es suficiente para ellas y lo que poseen no les trae alegría. Tengo amigas y amigas – unas que hacen lo extraordinario para dar y otras que se contentan solamente con recibir. Generalmente, doy para los dos tipos de amigas, pero en el fondo sé cuál será verdaderamente bendecida. Pueden no tener la condición de comprar el mundo, pero tienen disposición para dar lo que tienen, incluso aunque les falte. Eso es lo que marca la diferencia entre amiga y amiga, entre mujer y mujer, entre cristiana y cristiana. Unas están listas para sacrificar; otras, listas solamente para recibir. ¿Quién será bendecida a fin de cuentas? ¡Las que sacrifican! No hay otra forma, no existe otro camino, no hay excusas; si no das, no recibes. No hay nada más que explicar. ¿Por qué alguien cuestionaría este hecho? Ahora, pregúntate a ti misma cuándo fue la última vez que diste o te sacrificaste por alguien – olvidándote de ti misma por un instante. Responde con sinceridad: ¿Necesitas más explicaciones para entender el porqué no estás siendo bendecida?

Notas

_____

_____

_____

_____

_____

_____

_____

_____

_____

Sensible

$\mathcal{S}$ensible:

    1. Aquél que es fácilmente afectado por cualquier cosa.

    2. Aquél que fácilmente se ofende o se enfada.

    3. Aquél que es capaz de medir con precisión.

Algunas mujeres buscan hombres sensibles, otras dicen con orgullo que son o que les gustaría ser aún más sensibles. Pero si analizamos la definición de la palabra "sensible", llegaremos a la conclusión de que ser sensible tiene sus "pros" y sus "contras" – lo que requiere de nosotras, mucha vigilancia.

La mujeres pueden ser muy sensibles de vez en cuando, ya sea por un comentario, por algo que pasó sin ser planeado, o simplemente por estar en uno de aquellos días del mes en que la vida parece ser tan injusta... No hay nada equivocado en ser sensibles a ciertas cosas de la vida, como las que están relacionadas a las necesidades de nuestros familiares. La mayoría de las veces ellos no lo dicen, pero están necesitando amor, cuidados, atención, etc. Si no somos sensibles a sus necesidades, acabaremos por no hacer lo suficiente para ayudarlos – por más que lo intentemos.

Hay circunstancias en la vida que necesitan sensibilidad por nuestra parte, especialmente de nosotras, mujeres. Aun así, respecto a los problemas, nuestra actitud debe ser completamente contraria. ¡No podemos vencer un problema actuando con sensibilidad! Los problemas son situaciones persistentes que nos causan desánimo extremo; pueden ser dolores, conflictos en la adolescencia, vicios, etc. Siempre que lidiamos con nuestros problemas con un corazón sensible, acabamos sintiendo pena de nosotras mismas – y ésta es una de las peores cosas que puede pasarnos. Queremos que los otros también se compadezcan de nuestra situación, y cuando eso no sucede, nos sentimos peor todavía, pues tenemos la sensación de que nadie nos comprende o nos ama, que no tenemos valor, etc. La lista de pensamientos negativos es interminable y, entonces, damos el siguiente paso: comenzamos a reclamar. Exactamente como dice la Biblia: *"Gotera continua en día de lluvia y mujer rencillosa, son semejantes"* (Proverbios 27:15).

Algunas de nosotras están en un nivel tan avanzado en el arte de reclamar, que no es de extrañar que se sientan tan aisladas. ¿Quién puede soportar ese tipo de actitud? Cuando sentimos pena de nosotras mismas, nos quedamos ciegas. No conseguimos divisar el causante de nuestros problemas y la manera en cómo debemos lidiar con ellos; al contrario, acabamos por culpar a los otros y a nosotras mismas – lo que evidentemente no resuelve los problemas. Es muy triste saber que hay muchas mujeres que no entienden eso, mujeres de todas las edades, jóvenes y mayores, que simplemente no reconocen lo equivocadas que están al ser sensibles a las cosas que requieren una actitud totalmente contraria: insensibilidad, resistencia, severidad, etc. Debilidad, errores, injusticias y problemas necesitan una actitud severa, lo que significa que necesitamos ser fuertes, independientes de la compasión de los otros y estar siempre en la fe.

¿Cómo podrá una persona usar la fe sintiendo pena de sí misma y siendo sensible a sus problemas? ¡Es imposible! La mujer que tenía un flujo de sangre durante 12 años oyó hablar de los milagros del Señor Jesús y creyó. No le importó el hecho de que tenía que caminar debajo del sol con toda aquella ropa atada a la cintura. Todo lo que quería era ser curada.

Ella dijo: *"Si tan sólo toco sus ropas, sanaré"* (Marcos 5:28). Muchas de nosotras se habrían quedado en casa esperando la visita de un pastor o un obrero; y si eso no sucediese, reclamarían al obispo. Cuando aquella mujer tocó en las ropas del Señor Jesús, fue inmediatamente curada. Fíjese que no necesitó de una atención especial para que esto ocurriese y no reclamó al ser empujada por otras personas que también querían ver a Jesús. La verdad es que no exigió Su atención; ella usó la fe inteligente. Estaba cansada de ser víctima de una enfermedad que ya duraba 12 años. Decidió ser insensible y, así, consiguió usar la fe y ser totalmente curada. ¿Y tú? ¿Hasta cuándo sentirás pena de ti misma?

Notas

_____

_____

_____

_____

_____

_____

_____

_____

_____

La mujer parásito

ueden ser mujeres muy agradables y, en algunos casos, un tanto amables. Rara vez cuentan sus problemas a los demás, pues prefieren guardarlos para sí mismas. La vida ya es bastante peligrosa como para que se arriesguen intentando hacer algo nuevo, por ello se agarran a lo que es seguro y está garantizado. Aunque sean bastante agradables, rara vez marcan alguna diferencia en la vida de las demás personas. El mundo está infectado de esas mujeres "agradables" simplemente porque la mayoría de las personas no tienen ningún interés en añadir algo o marcar la diferencia en este mundo. Son felices tan sólo con vivir su propia vida, lo que es justo y aceptable, pero aún así son personas tristes. Tristes porque ellas no son sólo criaturas que respiran un poco del oxígeno que todavía nos queda, sino porque, en la mayoría de los casos, son mujeres incapaces de dar algo de sí mismas – ¡son mujeres infructíferas!

Todas las cosas buenas a las que tenemos acceso en los días de hoy son el resultado del trabajo de personas que decidieron que un día marcarían la diferencia en el mundo, aunque supiesen que nunca serían capaces de realizar esos cambios por sí solas. Personas que no pusieron excusas para librarse de hacer algo más, algo que nadie esperaba –y que más tarde marcaría la diferencia.

"Nadie enciende una lámpara y la cubre con una vasija, o la pone debajo de una cama, sino que la pone sobre un candelero para que los que entren vean la luz" (Lucas 8:16).

Si es así, ¿por qué entonces nosotras, que tuvimos un encuentro con Dios y que recibimos Su Espíritu y Su dirección, estaríamos por debajo de lo que Dios espera? Si tenemos la luz dentro de nosotras, ¿no debemos iluminar todo y a todos a nuestro alrededor? ¿No es razonable pensar que debemos brillar en este mundo? Entonces,

¿por qué es tan difícil ver que eso suceda? ¿Por qué tan pocas mujeres marcan de hecho la diferencia en este mundo? Todo acaba quedando sobre los hombros de aquellas que realmente están trabajando para marcar la diferencia; acaban teniendo que hacer todo y más – inclusive aquella parte que debería haber sido compartida con las demás. Es como mi padre siempre dice: Son poquísimas personas empujando un camión lleno de gente encima.

Parásitos que viven para disfrutar del arduo trabajo y esfuerzo de los otros. Amables, muy agradables, buenas personas... Pero que no marcan ninguna diferencia en este mundo.

Funcionarios que sólo trabajan por el salario a fin de mes; colegas de trabajo que hacen solamente lo que se les ha mandado; hijos que sólo se preocupan con su propio futuro; madres que viven en función de sus hijos; esposas cuya única preocupación es estar casadas y felices; obreras que aman el hecho de tener un uniforme y de ocupar una posición en la iglesia, esposas de pastores que sólo sirven para adornar la iglesia, etc. Esos son apenas algunos de los muchos ejemplos de parásitas ¿Y tú? ¿También eres una mujer parásito? Antes de responder a la pregunta, intenta recordar cuántas veces has marcado la diferencia en este mundo. No cuentes las veces que te lo mandaron, pues esas no valen. Los parásitos necesitan que les manden hacer la diferencia... La mujer que marca la diferencia nunca necesita que alguien le diga lo que debe hacer, pues su objetivo es estar siempre buscando qué más puede hacer y dónde más puede ayudar. Ella es una señal de Dios en este mundo.

Notas

Mujer extranjera

C ierta mujer cananea oyó hablar del Señor Jesús y de los milagros que estaba realizando por todo lugar por donde pasaba y, así, tuvo la seguridad de que Él, por fin, sería quien quitaría el sufrimiento de su hija. Entonces empezó a seguir al Señor Jesús clamando en favor de su hija. Los discípulos ya se estaban cansando de la insistencia de aquella mujer. El Señor Jesús, sabiendo que ella Le seguía solamente buscando un milagro, no le hizo caso durante un tiempo; aún así, ella no dejó de pedir ayuda y, con seguridad, debió haber molestado a mucha gente a su alrededor. Sabiendo que aquella mujer extranjera no iba a dejar de importunarlo, el Señor Jesús se volvió hacia ella, y le dijo: *"No está bien tomar el pan de los hijos, y echárselo a los perrillos."* Seguramente, muchos deben haber pensado que después de aquella respuesta ella desistiría. Sin embargo respondió: *"Sí, Señor; pero también los perrillos comen de las migajas que caen de la mesa de sus amos."* El Señor Jesús quedó sorprendido con la respuesta que escuchó de aquella mujer, pues su reacción a lo que le había dicho fue completamente opuesta a lo que cualquier persona podría esperar. Entonces, Él le dijo: *"Oh, mujer, grande es tu fe; que te suceda como deseas"* (Mateo 15:22-28).

Una de las características más destacadas de la fe de aquella mujer es algo llamado humildad. Fue capaz de colocarse en su debido lugar, no se preocupó consigo misma ni con su reputación, incluso después de haber sido reprendida por el Señor Jesús delante de toda aquella gente. La fe de aquella mujer es del tipo de fe que falta en muchas mujeres cristianas en el día de hoy. Una fe que no se desalienta por pequeños malentendidos o escándalos aquí y allí. A fin de cuentas, sabía que sólo tendría valor si su Señor estuviera en su vida. Muchas mujeres se habrían marchado furiosas con el Señor Jesús si hubieran estado en el lugar de la mujer cananea. Unas habrían empezado a discutir, mientras que otras habrían decidido que nunca más volverían a escuchar hablar de Él.

¿Qué tipo de mujer eres tú? ¿Qué sería capaz de irritarte hasta el punto de abandonar a Dios? Si existe algo, entonces no eres digna de tenerlo. Él no nos necesita, pero nosotras Lo necesitamos desesperadamente. Él no comete ningún error. Enfrentémonos a la realidad: Somos nosotras quienes nos equivocamos. Aquella mujer sabía que no merecía nada del Señor Todopoderoso y, por ese motivo, se humilló y reconoció su condición delante de Él. A algunos puede incluso parecerles que el Señor Jesús fue un poco rudo, pero si lo piensas bien, podrás observar que Él estaba haciendo lo correcto. Ella no estaba convertida y, probablemente, estaba allí solamente para obtener una bendición. Aun así, llama nuestra atención el hecho de que ella reconoció que no era merecedora y eso es lo que falta en muchas de nosotras.

Las grandes maravillas de Dios solamente se manifiestan en la vida de aquellas cuyo corazón es humilde. Pequeños milagros pueden alcanzarse a través de un simple acto de fe en Dios, pero los grandes milagros sólo se alcanzan a través de una fe con calidad, como la de aquella mujer; es decir, una fe que nos hace saber exactamente cuál es nuestro lugar delante de Dios.

Notas

_____

_____

_____

_____

_____

_____

_____

_____

La máscara

*H*ay un fallo que de vez en cuando se vuelve evidente en algunas mujeres. Parecen ser tan perfectas y tienen un comportamiento tan amigable que, a veces, incluso te sientes inferior a ellas por el modo en cómo tratan a los demás. Pero, para mi sorpresa, terminan mostrándose como personas completamente diferentes y es muy difícil entender el por qué de tanto disimulo. Unos dicen que lo que quieren es agradar a los demás y por eso se comportan de esa manera; otros dicen que sólo quieren enmascarar lo que realmente son... Pero, ¿por qué? ¿Por qué esconderse detrás de alguien que no existe? Si eso es así, entonces nadie jamás será suficientemente bueno, pues por lo que me consta es que todas somos seres humanos sujetas a errores y fallos.

¿Cómo podrán las personas conocerse si continúan mostrando una máscara de aquello que les gustaría ser? ¿Cómo podrá alguien amar a una persona que no existe? ¿Cómo una relación o una amistad podrá resistir de esta forma? En realidad, fingir ser una persona que no se es, acaba siendo una tarea mucho más difícil. Es preciso sostener las mentiras que se dicen y cambiar de máscara todo el tiempo, ¡eso es un trabajo muy duro! Y tarde o temprano, tendrá que enfrentarse a las personas que engañó, decirles la verdad, pensar en disculpas para no quedar mal. Acabará por perder su confianza después de tanta vergüenza y humillación.

Nadie consiguió jamás tener éxito intentando ser lo que no era. En un momento u otro, la persona acaba revelándose como realmente es y, así, comienza a ser vista como una mentirosa durante el resto de su vida. En realidad, las personas no quieren saber las disculpas que da, todo lo que les importa es que les mintió y que no es lo que parecía. De esta manera, acaba perdiendo la oportunidad de ser aquella buena amiga, futura esposa o confidente...

¿Has visto? ¡Fingir no es nada fácil! Si fueras tú misma, las personas te amarían por lo que eres, incluso con todos tus errores y defectos ¡Eso es amor de verdad! Nunca exigirán algo que no les puedas dar, pues te conocen. Actuando así, vivirás en armonía contigo misma y nunca más tendrás que perder el tiempo con máscaras y disculpas disfrazadas para justificar tus fallos. Si eres transparente, fácilmente encontrarás un amor verdadero y, por encima de todo, encontrarás a Dios, que te conoce por dentro y por fuera y jamás acepta máscaras o farsas.

¡No tiene sentido! Imagínate que conoces a una persona y después descubres que estaba fingiendo todo el tiempo. ¡Es absurdo! Así es exactamente como Dios se siente, y tal vez sea por esta razón que muchos religiosos en el mundo entero nunca llegan a conocer a Dios.

Notas

_____

_____

_____

_____

_____

_____

_____

_____

_____

El secreto

*U*na joven señora, que frecuentaba la iglesia durante muchos años, un día se acercó a hablar conmigo. En sus ojos había una tristeza que yo no conseguía comprender, pues se trataba de una de las mujeres más activas de la iglesia. Siempre estaba disponible para servir, sin importar la hora, el lugar o la persona. Siempre admiré su fidelidad y su buena reputación entre los demás. Pero ahora había algo extraño en su brillo. Esa mujer se abrió y reveló un secreto muy fuerte: todavía no conocía al Dios a quien había servido durante toda su vida.

Infelizmente, hay muchas personas fieles en la iglesia que están en esta misma situación, vieron el poder de Dios en su vida, experimentaron algunas de Sus promesas, pero todavía no Lo conocieron personalmente. ¿Cómo puede una persona servir o agradar a alguien que no conoce? La verdad, no es posible. Puede hasta intentarlo durante un tiempo, pero, tarde o temprano, se debilita en la fe y se cansa de hacer el bien sin ninguna respuesta. Su espíritu se queda seco y vacío, su mente se llena de signos de interrogación y su trabajo para Dios se vuelve pesado. De esta forma, se pregunta si el Señor está realmente a su alrededor. Dios está siempre a nuestro alrededor, sin ninguna duda; sin embargo, solamente las que verdaderamente Lo conocen pueden verlo, y tienen la garantía dada por el Señor de que Él está con ellas y, por eso, no temen, no se rinden y no se espantan cuando la situación está difícil. Los problemas siempre vendrán – eso es un hecho – pero superarlos está garantizado sólo para los que conocen a Dios personalmente en su vida. La Biblia dice así: *"Porque todo el que es nacido de Dios vence al mundo; y ésta es la victoria que vence al mundo: nuestra fe"* (1 Juan 5:4).

Acabas de descubrir que lo que realmente está por detrás de todas tus luchas espirituales es la falta del nuevo nacimiento. ¿Y ahora?

¿Deseas nacer de Dios? ¿Quieres saber cuáles son los requisitos para que alguien nazca o tenga un encuentro con Él? La respuesta a esas preguntas es: la fe. Es el único camino para llegar a Dios y la única manera de conquistar algún favor de Dios. Es tan simple como parece, pero las personas lo complican mucho, sobre todo el primer paso; parecen creer que necesitan ser de determinada manera o que nunca deberían haber hecho algo o, incluso, que deberían haber hecho algo en el pasado, y ahora creen que están condenadas a no nacer nunca de Dios. Una cosa es verdad: tú no tienes que ser perfecta para nacer de Dios.

Nadie es perfecto, y Él no es injusto para exigirnos algo que no podemos darle; sin embargo, tienes que dejar de hacer para Dios aquello que no está bien. Debilidades, dudas y malos pensamientos son extremadamente destructivos para tu fe. Tal vez la manera equivocada de pensar sobre ti misma sea lo que te impide encontrar a Dios, ya que, con una manera de pensar negativa, la fe no puede funcionar, y así no consigues llegar a Él. Así que, para de cuestionar a Dios o las cosas de Dios. Para de complicar las cosas y no dejes tu fe de lado. Tener fe es creer en algo que no se puede ver. ¡Eso es todo! ¡Si tú crees, nacerás de Dios!

Notas

_____

_____

_____

_____

_____

_____

_____

_____

_____

La verdadera prioridad

$\mathscr{E}$ n la actualidad, existe un gran fallo en nosotras, mujeres cristianas. Vivimos cada día como si el mañana no existiese, buscando nuestros propios intereses e intentando tener una vida mejor, a pesar de todo lo que las promesas de Dios pueden darnos. Luchamos y nos esforzamos para tener una vida mejor, un marido, una familia, un negocio, una curación... Aun así, nos olvidamos de cuidar la única parte de nuestra vida que dura para siempre: la vida espiritual.

No es un error luchar por las bendiciones, a fin de cuentas, el Señor Jesús nos dio el derecho de estar sanas, felices y realizadas; sin embargo, éstas no deben ser las prioridades de alguien que sabe discernir entre las cosas eternas y las que son temporales. ¿De qué le sirve a una mujer encontrar finalmente un marido si no tiene la fuerza interior necesaria para establecer la base de su matrimonio? ¿De qué le sirve a una persona ser curada y, aún así, espiritualmente estar sufriendo? ¿De qué le sirve al marido volver a casa si encontrará a la misma mujer que soportó durante diez años? ¿Cómo un familiar querrá conocer al Señor Jesús si la única persona que podría servirle como ejemplo vive totalmente vacía?

Nuestra vida espiritual determina todo en nuestra vida. Si soy nacida de Dios, venceré en todo lo que haga; pero, si no soy nacida de Dios lucharé para conquistar y nunca estaré satisfecha, porque no tengo aquello que necesito para mantener todas la bendiciones que logro: a Dios dentro de mí. Hay personas que oyen hablar sobre el nuevo nacimiento continuamente, pero debido a que no lo convierten en una prioridad en su vida, no lo tienen.

La mujer sabia sabe cómo priorizar las cosas en su vida, es decir, sabe organizar sus tareas de acuerdo a su importancia o urgencia.

¿Cuál es la cosa más importante que una mujer puede tener? ¿No es su propia vida? Entonces, ésta debe ser su prioridad – antes incluso que su matrimonio, los hijos, el trabajo, la familia y su salud. No tiene sentido establecer metas si no tiene fuerza interior, es decir, vida espiritual. Los maridos a veces se decepcionan, los hijos se van, los trabajos se pierden, el dinero se gasta, la salud está siempre corriendo riesgos y los sueños siempre existirán; pero nuestro espíritu vivirá eternamente, ya sea en paz o en tormento. ¿No debería ser ése el futuro que deberíamos cuidar?

El mundo nos deja ciegas ante la realidad de la vida. Ofrece entretenimientos y placeres más allá de nuestras necesidades, y nosotras nos sentimos incluso sofocadas por sus fuertes y atrayentes colores. ¡Es todo una ilusión! Todas las películas que ves, toda la música que oyes, todos los artistas a los que aplaudes, por detrás de las cámaras y del gran maquillaje hay una alma que está perdida, un espíritu vacío, completamente ignorante respecto al verdadero sentido de la vida. ¿Qué prefieres?, ¿tener éxito durante algunos años en tu vida o tener una vida realizada y feliz durante toda la eternidad? ¡Tú decides!

Notas

_____

_____

_____

_____

_____

_____

_____

_____

_____

Las bodas del Rey

H abía un rey que tenía el gran deseo de celebrar la boda de su hijo. Aún así, acabó decepcionado con la cantidad de invitados ilustres que decidieron rehusar su invitación. Entonces, decidió invitar a los pobres y a los menos favorecidos del reino, a todos sin excepción. De este modo, una multitud compareció a su fiesta. Para sorpresa del rey, uno de los invitados no estaba vestido de manera apropiada. Lo mínimo que aquel hombre podría haber hecho para participar de aquella fiesta tan importante era vestirse de manera adecuada. ¡Aquello era un insulto que el rey no podía soportar! Así que, inmediatamente, ordenó a sus guardas que lo lanzasen a la calle, donde habrá *"llanto y crujir de dientes"* (Mateo 22:1-13).

El Señor Jesús contó esta parábola para ilustrar el Reino de Dios. Él vino para aquéllos que eran Suyos, pero ellos Lo rechazaron; por eso, hizo extensiva Su invitación para todas nosotras: gentiles, pobres, necesitadas, abandonadas y sufridas. Nosotras, entonces, aceptamos Su invitación de todo corazón – al fin y al cabo no teníamos nada que perder, y sí qué ganar. Infelizmente, algunas todavía piensan que el Reino de Dios ya está garantizado, las hay también frecuentadoras de la iglesia que piensan que es posible vivir sin la aprobación de Dios y, así, no se visten de manera adecuada para Su venida. Viven de acuerdo con lo que es apropiado para el mundo moderno, siempre preocupadas en divertirse y no asumir ningún compromiso; sólo se preocupan consigo mismas y con aquello que su corazón desea conquistar, sin preocuparles la manera con la que se están presentando delante de Dios, sólo viven el momento. Poco a poco, lucha tras lucha, insisten en no aprender la lección, quieren hacer todo solas y piensan que son jóvenes y libres para hacer todo lo que quieran y, por eso, ignoran el hecho de que Dios no quiere que sigamos los deseos de nuestro corazón. Independientes de los padres y de todos a su alrededor, empiezan a asumir responsabilidades solamente cuando ya no necesitan divertirse más…

Tan indignas y obstinadas. ¿Cómo podrá Dios lidiar con personas así? Personas que saben perfectamente qué es lo correcto y lo equivocado y, aún así, insisten en hacer lo que está mal. Hasta ahora, Él ha intentado enseñarnos, pero, incluso después de todo lo que dice y hace por nosotros, el mundo es muy atrayente y tentador como para abandonarlo. Todo lo que Le queda por hacer es quitar de en medio de Su pueblo a quienes se han comportado de manera inapropiada y es en ese momento en el que Dios deja a la persona sola. Después de intentarlo, día tras día, año tras año y de no ver ningún cambio, simplemente desiste de este tipo de "cristiana".

Ahora bien, piensa conmigo: ese tipo de invitada es una persona que abusa del favor y que piensa que puede entrar y disfrutar de toda la riqueza de las promesas de Dios sin que haya por su parte un mínimo de sacrificio, en el sentido de adecuarse a las normas del Reino. No es de extrañar que personas así sólo vean pequeñas bendiciones aquí y allá. Las mayores y más gratificantes bendiciones sólo pueden disfrutarlas aquellas personas que verdaderamente se comprometen con el Reino de Dios; aquéllas que se aseguran de estar vestidas de forma apropiada para presentarse delante del Rey.

Notas

_____

_____

_____

_____

_____

_____

_____

_____

¡Actitudes erróneas, corazón malo!

Retrocediendo en el tiempo, cuando Abraham recibió la promesa de Dios de que tendría un hijo y que sería el padre de una gran nación, Sara, su mujer, tuvo la esperanza de que esa promesa se convirtiese en realidad en un futuro próximo. El tiempo fue pasando, su cuerpo iba envejeciendo y al no ver los cambios físicos que normalmente suceden en las mujeres embarazadas, Sara comenzó a buscar los medios para que la promesa de Dios se cumpliese. Llegó a la conclusión de que la "única manera" de que la promesa se cumpliera era si Agar, su sierva más fiel, se quedase embarazada en su lugar. Todo eso tenía sentido para Sara, quien probablemente se preguntó a sí misma por qué no había pensado en eso antes. Entonces, instigó a Abraham para que durmiera con su sierva y eso fue exactamente lo que él hizo.

No pasó mucho tiempo para que Sara se diera cuenta del gran error que había cometido. Agar, que era tan amable y humilde, ahora se vanagloriaba de todo lo que estaba pasando, despreciando a Sara y considerándola como la "otra" mujer, la mujer infructífera de Abraham. Ante tanta humillación y decepción, Sara decidió ser severa con aquélla a quien había escogido para ser la madre de "su hijo", induciendo a Agar a huir con rabia. Más tarde, la sierva volvió y tuvo a su hijo, Ismael, nacido de Abraham. Pero ¿se puede imaginar el clima reinante entre esas dos mujeres después de eso? Ismael, probablemente creció influenciado por su madre para evitar a Sara, lo que consecuentemente, echó todos los planes de Sara a perder.

De la misma manera que Sara, muchas mujeres hoy en día conocen las promesas de Dios para su vida y, aun así, no consiguen dejar de usar sus emociones debido a una cosa llamada "tiempo". Su fe se guía por la esperanza de que exista una manera de conseguir la promesa sin que sea necesario confiar en Dios. Comienzan a usar su corazón en vez de la fe inteligente. La fe inteligente dice que Dios tiene el control de todo y que, por eso, cumplirá Su promesa, pues Él no es hombre para que prometa y no cumpla. ¡Él es Dios!

Sara no solamente generó un problema, sino que además llevó a su marido a serle infiel por primera vez, ¡que fue lo peor de todo! Abraham había sido el único, de entre tantos hombres en la faz de la Tierra, que no había tomado otra esposa, razón por la que fue tan especial para Dios: si podía ser fiel a una mujer estéril, probablemente sería fiel a Dios. Si Sara se hubiera parado a pensar lo que estaba haciendo. ¿Cómo podría Dios cumplir una promesa causando desaciertos en la vida de los implicados? ¿Por qué Dios haría a Abraham pecar para cumplir su promesa? ¿Por qué Dios levantaría una gran nación a partir de Abraham a través de una sierva? No tiene sentido. De este modo, cuando las mujeres no usan la fe inteligente, es cuando hacen cosas que no tienen sentido. Y cuando el corazón quiere alguna cosa, hacen de todo para conseguirlo. ¡Se olvidan de Dios y de Sus promesas! "El tiempo es muy valioso como para esperar y confiar..." – piensan ellas. Y, como si lo estuviesen haciendo todo bien desde el principio, comienzan a reclamar a Dios diciendo que no hace nada de manera correcta. Sara reclamaba a Abraham debido a las actitudes y de la manera en cómo Agar la trataba; era como si la culpa fuera de cualquiera, menos suya. Ahí está la historia de una mujer que tuvo que aprender una dura lección sobre la diferencia entre la fe del corazón y la del espíritu.

Notas

El enemigo de tu interior

Él juega con nosotros. Es terrible admitirlo, pero hay un lugar en nosotras donde nacen tanto el amor intenso, como los problemas y la falta de esperanza: el corazón. Es la peor parte del ser humano, pues no se preocupa de las consecuencias de sus actos e impulsos, sólo de sus propios deseos. La emoción ha sido la razón de la lucha de muchos hombres de Dios.

Mientras la inteligencia concluye que lo mejor es apartarse de los impulsos del corazón, éste, lleva a la persona a esos deseos, dejándola confusa y ansiosa. Por eso, no consigue dormir bien por la noche imaginando cómo podría llevar a cabo el deseo de su corazón sin herir a otras personas al mismo tiempo.

El ser humano se da cuenta claramente de que es un error aceptar todo lo que su corazón le pide tan codiciosamente, pero incluso así, no consigue negar sus deseos, pues él late con toda su fuerza cuando piensa en el objeto de deseo. La mente humana busca de alguna manera dejar de pensar en el problema, pero, aun así, no hay otra salida a no ser rendirse a los deseos. Muchos matrimonios y relaciones, incluso con Dios, terminan debido a ese procedimiento del corazón. Es un mal más allá de nuestra imaginación. Todo lo que el corazón quiere, está contra el sentido común y contra Dios.

Las personas intentan justificar sus actos impulsados por la emoción, diciendo que fueron débiles, que los demás no les comprenden o, incluso, que se enamoraron de alguien. Sólo son excusas. Esos subterfugios son creados por su mente para que puedan realizar el deseo de su corazón sin sentir remordimientos.

Tú y yo tenemos que reconocer el hecho de que nuestro corazón es malo. Eso no significa que seamos malas; sólo somos seres humanos y tenemos que vivir por la fe, que va en contra de las emociones del corazón. Ella nos convierte en inmunes a la voluntad de nuestro propio corazón. En el día a día, cuando el corazón pide algo equivocado, nuestra fe le calla. Solamente aquéllas que viven por la fe, permanecerán de pie en los momentos de prueba; sin embargo, las que viven en función de las emociones del corazón, serán conducidas a lugares extremadamente terribles y se lamentarán durante el resto de sus vidas, porque son lugares donde no se encuentra la presencia de Dios.

Éstas no son solamente palabras de sabiduría fruto de la lectura de cualquier libro, sino una convicción procedente de experiencias trágicas de personas como tú y yo. Muchas mujeres fueron terriblemente engañadas por su propio corazón y hoy ya no están más en la fe. Ahora quisieran volver a aquella situación que un día les hizo ser las mujeres más felices del mundo, pero ya no tienen fuerzas, su corazón las condena constantemente como un perverso juez.

La Palabra del Único que incluso sabe cuantos cabellos tenemos en nuestra cabeza dice:

"Más engañoso que todo, es el corazón, y sin remedio; ¿quién lo comprenderá? Yo, el Señor, escudriño el corazón, pruebo los pensamientos, para dar a cada uno según sus caminos, según el fruto de sus obras."

Jeremías 17:9,10

¡Guiarse por el corazón destruye más vidas que el propio diablo!

Notas

_____

_____

_____

_____

_____

_____

_____

_____

Segura y... ¿vulnerable?

Intenta andar por casa a oscuras y comprueba si no tropiezas por lo menos con dos o tres objetos por el camino; experimenta escoger algo sin verlo; prueba y cose sin abrir los ojos ni siquiera un instante. ¿A qué no es lo mismo? Acabarás tropezando y haciéndote daño o con hematomas; harás la elección equivocada e incluso caerás por falta de equilibrio. Y eso es exactamente lo que sucede cuando insistimos en tener una vida de secretos.

Los secretos te atan y, con el paso del tiempo, se vuelven todavía peores. Y, como si eso no fuese bastante, permanecen en tu conciencia y no importa cuanto ores y pidas a Dios que te perdone, nunca te abandonarán. Y ¿sabes por qué? Porque están escondidos en la oscuridad y Dios no trabaja en la oscuridad. Cuanto más te apegues a tus secretos, más estarás en las tinieblas y más encadenada a ellos. Te sientes tan sola con todos esos secretos bien seguros dentro de ti y, por eso, te encuentras tan vulnerable. Y aunque pienses que Dios los arrancará de tu conciencia, eso jamás ocurrirá – no porque Él no quiera, sino porque no puede. Depende de ti librarte de ellos.

Librarse de esos secretos requiere mucho coraje. Por eso, muchas personas prefieren mantenerlos bien seguros y guardados en la oscuridad, a fin de que nadie las juzgue o critique. Les falta coraje para confesarlos ante Dios y así salir de la oscuridad en que se encuentran. Viven con la esperanza de que Dios lo haga en secreto. Discúlpame, pero ¡Dios no trabaja de esa forma!

"Porque todo el que hace lo malo odia la luz, y no viene a la luz para que sus acciones no sean expuestas. Pero el que practica la verdad viene a la luz, para que sea manifiesto que sus obras han sido hechas en Dios."

Juan 3:20,21

Aunque no tengas motivos para enorgullecerte de determinadas actitudes que tomas, eres transparente por ser una persona de Dios, no tienes nada que esconder ni tan siquiera los propios errores o debilidades. ¿Quién de nosotras es perfecta? ¿Quién no tiene un pasado del que avergonzarse? ¿Quién no ha hecho nunca nada que le haya causado algún tipo de desagrado? ¡Todas nosotras tenemos fallos! Pero cuando te purificas, aquellos terribles errores son borrados en el instante. La exposición es dolorosa, pero rápida. Sin embargo, cuando intentas evitar todo este malestar, pensando que jamás tendrás que lidiar con ellos nuevamente, es ahí que te sientes más molesta cada día que pasa. Cada vez que oras, tus secretos te acusan. Y como la Palabra de Dios siempre se cumple, volverán cuando menos lo esperes...

"Pues no hay nada oculto que no haya de ser manifiesto, ni secreto que no haya de ser conocido y salga a la luz" (Lucas 8:17).

Y cuando salen a la luz, no son pasajeros. ¿Por qué pasar por todo eso? ¿Por qué apegarse a secretos que tarde o temprano serán revelados? Tus secretos no están seguros, pero te están preparando una gran emboscada para que caigas el día que sean revelados. ¡No les des ese placer! Sé transparente, no sólo delante de Dios, sino también de los hombres.

Notas

_____

_____

_____

_____

_____

_____

_____

_____

Con tacón alto

$\mathcal{N}$o consigues resistir a aquel maravilloso par de zapatos! Sabes que, probablemente, sólo los usarás una o dos veces al año; pero aun así, entras en la tienda y te los pruebas. ¡No es suficiente...! Te miras en el espejo y te sientes bonita. Sería una locura no llevárselos; incluso, porque si no los compras ahora, seguramente no volverás a verlos y acabarás arrepintiéndote. No importa si te hacen daño, ¡te los llevas de cualquier manera! Parece que fueron hechos para decorar escaparates – son incómodos y carísimos.

Llegamos a este punto para vernos guapas, forma parte de nuestra naturaleza, sacrificarnos para alcanzar la belleza. Piensa en todas las dietas en las que tuviste que pasar hambre, a veces gastaste un día entero de tu preciosa semana en la peluquería, sin olvidar la rutina de belleza por la que pasamos todos los días – prácticamente es otro trabajo – simplemente para estar bellas. Yo estoy completamente a favor de que las mujeres se cuiden, a fin de cuentas, eso es lo que nos hace mujeres. Puesto que somos capaces de sacrificar tanto por nuestro cuerpo y por nuestra apariencia, mucho más deberíamos sacrificar por nuestro ser interior.

Cuando estás bien interiormente, todo el exterior brilla más y te trae alegría y satisfacción. Tristemente, lo contrario también es verdad. Hay mujeres que tienen mucha belleza que mostrar, pero, debido a un comentario triste, conversaciones vanas y corazones atribulados, pierden toda la belleza en la que tanto invirtieron. Este es el tipo de mujer que no aporta absolutamente nada a la vida de las personas; vive en función de sí misma y, por eso, su mundo está limitado y su conversación es inadecuada. El único beneficio que posiblemente puede traer a alguien es un consejo sobre el maquillaje, cabello y ropa – que, aun así, es temporal. Una vez que envejecen, todo se acaba. Y, pueden ayudar en instituciones de caridad aquí y allá, pero seamos sinceras, incluso traficantes y ladrones pueden hacer caridad. Si todos los sacrificios que las mujeres hacen por su belleza fuesen beneficios para su vida espiritual, ¡se convertirían en joyas muy preciosas y únicas en este mundo!

Cuando una mujer tiene carácter, es decir, es fiel, leal, sumisa, discreta, respetable, amorosa y trabajadora: ya es bonita; todo el maquillaje y el tacón alto que le gusta llevar, solamente complementan su belleza. Por otro lado, cuando la mujer es bonita pero no tiene carácter, no pasa de ser una mujer cualquiera, sustituible, buena para un matrimonio corto y un excelente tema de cotilleo. *"Engañosa es la gracia y vana la belleza, pero la mujer que teme al Señor, ésa será alabada"* (Proverbios 31:30).

Si puedes sacrificar tu delicado "piececito" y tu bolsillo para estar bella en ese alto tacón ¿por qué no sacrificar tu vida haciendo la voluntad de Dios y, así, ser y estar bella en todo lo demás? Medita en el libro mencionado más arriba que te da un profundo entendimiento de la vida. Consulta al Guía de los guías diariamente – ¡cuán privilegiadas somos por tener acceso directo a la Fuente! Practica lo que sabes que está bien, manteniendo tu corazón limpio y libre de cualquier mal sentimiento. ¡Y así, es como la mujer de Dios se cuida cada día!

Notas

_____

_____

_____

_____

_____

_____

_____

_____

_____

_____

En buena forma

*D*ieta hoy, dieta mañana... ¡Y la lucha continúa firme y fuerte! ¿Por qué es tan difícil tener un cuerpo perfecto? Esta pregunta atormenta a muchas mujeres en todo el mundo. Todas tienen en común la preocupación por el peso. Incluso aquéllas que no lo necesitan también se preocupan y luchan por adelgazar. El problema es que esa preocupación acaba por desviar nuestra atención de aquello que de verdad es importante para nosotras. Mira, amiga lectora, nuestro exterior refleja lo que está dentro de nosotras – nuestro corazón; por lo tanto es inútil cuidar el exterior si el corazón no está bien ¿no crees?

La Biblia compara nuestro corazón con una fuente y el agua que mana de esa fuente puede ser dulce o amarga – sólo depende de nosotras. El apóstol Santiago dice: *"¿Acaso una fuente por la misma abertura echa agua dulce y amarga?"* (Santiago 3:11). Sabemos que eso jamás será posible, ¡pero a muchas nos ha tentado! Si a veces tú te sorprendes hablando palabras con amargura, pensando mal de los otros o alguna cosa semejante, ¿qué quiere decir esto? ¿Será que eres una fuente de agua dulce o de agua amarga?

Las mujeres que ignoran completamente su condición espiritual y se concentran solamente en la parte de su vida que un día envejecerá y morirá, están corriendo tras el viento. Es el espíritu el que permanece durante toda la eternidad, por eso no debe ser despreciado o puesto en segundo plano – sin embargo, es lo que muchas han hecho; gastan una fortuna en el cuidado del pelo, maquillaje, ropa y tratamientos de belleza para mejorar la apariencia, pero cuando llega la hora de invertir un poco del dinero que reciben para la salvación de otras personas, simplemente, no tienen ni tan siquiera un céntimo. Si cuidasen lo que hay dentro de ellas, su exterior se beneficiaría y se convertirían en las mujeres que siempre soñaron ser.

Las mujeres atractivas que vemos en la televisión pasan la mitad del día en salones de belleza para poder aparecer perfectas -¡y sólo eso! Con tantos productos disponibles en el mercado cualquier mujer puede parecer bonita, pero ¡pocas pueden realmente SER bonitas! Bonitas para la familia, bonitas para sus clientes, bonitas para los que se encuentran perdidos y, finalmente, bonitas para Dios.

No hay nada malo en querer cuidarse, en realidad, eso es lo que debemos hacer todos los días. Sin embargo, nunca debemos permitir que eso se convierta en una prioridad en nuestra vida. Acuérdate siempre que, si tu interior no está bien, el exterior tampoco lo estará; por lo tanto, cuida tu corazón: líbrate de toda la envidia, de todo el resentimiento que has alimentado en tu corazón; quita aquellos malos pensamientos, incluso aunque sean en contra alguien que te maltrató, no importa, a fin de cuentas, la envidia y el odio sólo hieren a una persona: ¡a aquélla que los guarda!

A partir de ahora, cuídate para estar en buena forma espiritualmente. Mantén tu corazón limpio y tú, lista para madurar como mujer de Dios. ¡Tengo la seguridad de que te gustará lo que verás en el espejo!

Notas

_____

_____

_____

_____

_____

_____

_____

_____

Cerrada por tiempo indeterminado

*Y*a te paraste a pensar cómo hay pequeños establecimientos que consiguen mantenerse cuando, por cualquier motivo, cierran las puertas? Pequeños restaurantes que cierran en la hora de la comida, pequeñas tiendas que cierran durante un breve intervalo y abren más tarde y, así, dejan de ser los preferidos de las personas... Bien, si nunca pensaste en eso, no te estás perdiendo nada. No es tu caso, ¿o sí lo es? Si es así exactamente como actúas respecto a tu vida, entonces puedes considerarte preparada para sufrir alguna carencia, pues te falta todo: amor, alegría, paz, etc. Las personas que se encierran en su propio mundo acaban pagando un alto precio. Es muy difícil convivir y trabajar con una persona que se encierra en sí misma. No pasa nada porque sea seria o que no le guste mucho conversar; pero si es demasiado seria y nunca tiene tiempo para hablar con las personas a su alrededor, eso acabará causándole gran malestar, pues las demás, simplemente, no saben cómo tratarla.

Muchos hombres tienen serios problemas con las mujeres muy encerradas en sí mismas, nunca saben lo que están pensando o queriendo; saben, solamente, que sus esposas no son felices y serían capaces de hacer cualquier cosa para cambiar esta situación. Tal vez una malísima experiencia haya hecho que tú te vuelvas así, en un intento por protegerte y de no volver a pasar nunca más por esa misma situación; pero ¿realmente es la forma adecuada de evitar pasar por malas situaciones? ¿Ya pasó por tu cabeza que debido a ese comportamiento, puedes estar perdiendo amistades y relaciones muy buenas? Protegerte de las personas que te rodean no impedirá que tengas problemas, pero sí tener amistades y, quien sabe, tal vez hacer la diferencia en la vida de alguien.

Una mujer encerrada en sí misma es como un punto de interrogación. Nunca sabes cómo está, qué siente, qué piensa, qué quiere, etc. Es misteriosa y, aunque eso parezca divertido, acaba convirtiéndose en algo irritante con el paso del tiempo. Hay casos de mujeres que están tan ensimismadas que cuando alguien se da cuenta de los problemas que está pasando ya es demasiado tarde para ayudarlas; y ¿por qué? ¡Porque están encerradas! Hay otras que se aferran a la envidia y al resentimiento durante toda la vida, simplemente porque no son capaces de desahogarse con la persona que las maltrató. Fíjese que, la mayoría de las veces, las personas no se dieron cuenta de que las maltrataron.

La mujer de Dios sabe que cuanto más se encierra en sí misma, más difícil le resultará descubrir cuál es su lugar, decir las palabras adecuadas o comportarse de manera apropiada. Ella es sabia y por eso, es abierta – lo que la hace ser diferente de las demás. No tiene miedo de lo que piensen de ella, no esconde lo que es y, casi siempre, comete errores delante de los demás; a fin de cuentas, es un libro abierto. Y ¡no hay forma de que no guste una persona que es como un libro abierto! Nunca guardará nada contra ti, pues si no le gusta alguna cosa que dijiste, siempre te lo dirá. No guarda secretos desagradables – ¡es transparente!

Notas

_____

_____

_____

_____

_____

_____

_____

_____

Cómo actuar por la fe

"*Usa tu fe*" – ¿qué quiere decir esta frase? Si eres cristiana y tienes fe en Dios desde hace mucho tiempo, ¿podrá ser esta frase la llave para combatir todos tus problemas? En la Iglesia Universal del Reino de Dios, intentamos siempre recordar que debemos usar la fe para vivir el poder de Dios en nuestra vida. Infelizmente, muchas personas han tenido dificultades para entender cómo conseguir que la fe se convierta en parte de su día a día. De esta forma, la vida se hace complicada.

La fe nos acompaña desde que nacemos y es común en todas las personas. Es uno de los dones más preciosos que Dios nos dio y Él sabe cuánto necesitamos de ella. La fe es la única fuerza capaz de hacer que una persona conozca a Dios, incluso aunque se haya pasado toda la vida huyendo de Su presencia. Todas tenemos fe, pero no todas sabemos usarla.

La mayoría de nosotras, mujeres, acostumbramos a depender mucho de las emociones, que, a su vez, dependen de las circunstancias de nuestro alrededor. Por eso, muchas veces sentimos el impulso de tomar decisiones en el momento y lugar equivocados. La fe, sin embargo, es constante. No importa lo que suceda a nuestro alrededor, es invencible. Son pocas las personas que entienden esto y, es por ese motivo, que muchas mujeres cristianas todavía no vieron el poder de Dios en su vida. Su fe está adormecida, mientras que sus emociones asumen la dirección de todo.

La mujer que depende de sus emociones se queda a merced de ellas. Si el marido grita, se queda triste; si los hijos empiezan a tener problemas en el colegio, su mundo se vuelve patas arriba; si, por algún motivo, está triste, ese día o, incluso la semana, se convierte en deprimente e insoportable. Aun así, si la mujer usa la herramienta que de hecho funciona, y confía en su propia fe en vez de confiar en sus emociones, cuando su marido grite, ella encontrará refugio en su fe. Podrá entrar en su cuarto y contarle todo a Dios, que es el Único que puede ayudarla de verdad, y recibir de Dios orientación para lidiar con el problema. Después de pasar algunos instantes en la presencia de Dios, se sentirá fuerte, llena de fe y lista para el próximo desafío. Si sus hijos comienzan a tener problemas, estará preparada, su mundo no estará boca abajo; ya que, asumirá el control de su propia vida por la fe. Su día o semana no estarán arruinados y su familia será beneficiada con su estado de espíritu renovado.

Acuérdate que la Palabra de Dios dice que *"la mujer sabia edifica su casa"*. El primer versículo de Proverbios 14 habla sobre este asunto y, en seguida, afirma que la mujer necia destruye su vida con sus propias manos. Esto es muy serio. ¿Cuántas esposas están destruyendo sus familias por prestar atención a sus emociones? Y cuando todo está perdido, todavía se preguntan dónde se equivocaron o cómo deberían haber enfrentado la situación. Ahora tú lo sabes ¿no?

Notas

_____

_____

_____

_____

_____

_____

_____

_____

_____

Dando la señal equivocada

$\mathcal{H}$ace ya bastante tiempo que vas a la iglesia, has hecho muchas cadenas de oración y los cambios son evidentes en tu vida. Tus objetivos, tus amigos, e incluso las cosas que te divierten también cambiaron. En realidad ¡todo cambió! Aparentemente todo está yendo bien, pero algo te ha impedido crecer espiritualmente, y simplemente no sabes qué es. Te esfuerzas, siempre vas a evangelizar, nunca te pierdes las reuniones principales pero, aun así, sientes que nunca eres llamada por Dios. Es así que muchas jóvenes empiezan a hacer la Obra de Dios: Ven muchos cambios en su vida y asumen que están preparadas; pero, esos cambios, no significan que ya lo estén.

Antes de tener un encuentro con el Señor Jesús, yo también quería hacer la Obra de Dios. Podía verme casada con un hombre de Dios y ganando almas; pero aún así, el propósito principal de mi sueño en aquella época era tener una vida como la de mis padres. Aunque dijese que tenía el deseo de ganar almas para el Señor Jesús, lo que realmente quería era estar casada con un hombre de Dios. En otras palabras, quería hacer la Obra de Dios sólo para poder estar casada con un hombre fiel.

Yo amaba las almas, pero no lo suficiente como para sacrificar tanto por ellas. Mi corazón y mis pensamientos estaban centrados en tener una vida feliz; no era por casualidad que me quedaba todo el tiempo soñando despierta. Pensaba que ya conocía a Dios, pues conocía la Biblia y vivía una vida que me hacía pensar que era de Dios; pero, en realidad, no Le conocía ni tenía la menor idea de lo que era hacer la Obra de Dios hasta el día en que nací de Él. Desde entonces, mis ojos se abrieron y comencé a tener un nuevo entendimiento acerca de Dios, de Su Obra y de la vida en general. Me convertí en una persona totalmente diferente. Antes, mi corazón sólo soñaba y pensaba en cosas para mí misma, pero ahora estaba volcado hacia las personas. Ya no existía más aquel deseo de hacer la Obra de Dios con la finalidad de asegurar mi vida y mi futuro. Dios, con seguridad, percibió ese cambio de inmediato, pues no pasó mucho tiempo para que fuera llamada para ser obrera y, más tarde, comenzase a hacer Su Obra en el altar.

Existen jóvenes que desean tener el Espíritu Santo para poder trabajar como obreras en la iglesia; otras, porque quieren casarse y ser esposas de un pastor. ¿Por qué desean eso tanto? Si existe algún motivo personal y egoísta por detrás de ese deseo, entonces están enviando una señal equivocada a Dios y, por eso, ¡no reciben aquello que están buscando!

El Espíritu Santo sólo viene sobre aquéllas que desean ser instrumentos útiles en Sus manos y testimonios vivos de Su poder en este mundo. Él no viene sobre aquéllas que sólo quieren decir que Lo tienen, o que desean vestir un uniforme en la iglesia. Lo mismo se aplica a la Obra de Dios. Si tú no tienes el deseo de hacer la Obra de Dios con la finalidad de salvar almas para el resto de tu vida, sin importar dónde o cómo, si estás casada o no, entonces, mejor olvídate. Puedes hasta casarte con un pastor, pero no estarás haciendo la Obra de Dios; serás apenas una más – como si fueses una funcionaria de la iglesia. ¡Y ahí está la diferencia entre esposas de pastor y esposas de pastor, entre obreras y obreras!

Notas

_____

_____

_____

_____

_____

_____

_____

¿Qué es una mujer de Dios?

"*Engañosa es la gracia y vana la belleza, pero la mujer que teme al Señor, ésa será alabada.*"

Proverbios 31:30

En cierta ocasión, una joven me preguntó qué significaba ser una mujer de Dios y le respondí: "La mujer de Dios es aquélla que conoce a Dios y vive de acuerdo con Su voluntad – lo que, la mayoría de las veces, exige mucho sacrificio". Después de oír esa simple respuesta, ella balanceó la cabeza y me miró como si estuviese diciendo: "¡Gracias por nada!"

Hay más mujeres que hombres en la iglesia y, frecuentemente, me pregunto porqué no son tan usadas como los hombres. La única explicación lógica que he podido encontrar es que nosotras, las mujeres, somos más emotivas que los hombres. La prueba de eso es nuestra pasión por los romances, películas románticas, canciones románticas, actitudes románticas, historias románticas, etc. Lloramos por casi todo lo que toca nuestra alma, incluso cuando oímos un testimonio de alguien que tuvo una vida transformada por el poder de Dios. Percibimos el mundo a través de los ojos de la emoción. Sólo Dios sabe cuántos problemas hemos acarreado a nuestro matrimonio o a nuestras relaciones por ser tan emotivas. Con todas esas emociones revolviéndose dentro de nosotras 24 horas al día, difícilmente usamos nuestra fe. Esto explica por qué existen tantas mujeres en la iglesia que no hacen la menor diferencia en el Reino de Dios. Generalmente, se denominan mujeres de Dios pero, cuando son comparadas con los hombres de Dios, hay un contraste muy grande.

El secreto está en la respuesta que di a aquella joven: "La mujer de Dios es aquélla que conoce a Dios." Muchas todavía no Lo conocen y basan su conversión y su "nuevo nacimiento" en emociones que sintieron durante la oración. Mientras el pianista tocaba aquel bonito fondo, vinieron sobre ellas las mismas emociones que las hacen llorar cuando ven películas tristes; desde entonces, quedaron convencidas de que habían nacido de Dios.

¿Cómo podrán ser mujeres de Dios si no Lo conocen? ¡Imposible! Querida amiga, si quieres ser una mujer de Dios, necesitas, primero, conocerlo, punto final. Incluso aunque intentes cambiar tus caminos y vivir una vida más santa, eso no te hará una mujer de Dios. Tienes que conocerlo y para que suceda, necesitas colocar a un lado tus emociones y sentimientos y buscarlo con fe; sólo así serás una nueva criatura y te convertirás en una mujer de Dios. Tu vida causará un gran impacto en Su Reino y en la vida de todos los que están a tu alrededor.

Notas

El verdadero amor

Él la toma en sus brazos y la besa como si no existiese el mañana, mientras que ella, un poco tímida, desea que ese momento nunca llegue a su fin... ¿No es exactamente eso lo que toda mujer desea en este mundo? Obviamente, muchas personas dicen que esto sólo sucede en las películas y en las novelas, pero en el fondo, todas desean ser alcanzadas por el amor, al menos una vez en la vida; en cuanto a eso, hay aquéllas que viven en su búsqueda en todas las relaciones que tienen – e incluso lo encuentran, pero luego lo pierden de nuevo.

Yo conocí el verdadero amor por primera vez a través del matrimonio de mis padres. Vivían como si estuviesen en plena luna de miel. Uno no conseguía estar lejos del otro, especialmente mi padre que, aunque fuese un hombre fuerte y duro, parecía incompleto siempre que se encontraba sin su otra mitad. Después de 35 años de matrimonio, todavía están completamente enamorados y es cada vez más difícil que se quede uno lejos del otro. Observaba su relación desde muy cerca y, después, empecé a desear de todo mi corazón tener lo mismo que ellos tenían.

Podemos afirmar que el amor verdadero no se encuentra en cada esquina o en toda relación – no porque las personas no lo quieran, sino porque ellas, realmente, no lo conocen. Las personas piensan que el amor consiste en recibir, conquistar, llenarse y beneficiarse de él, mientras que el verdadero amor es exactamente lo opuesto de todo eso.

El verdadero amor consiste en dar y no esperar nada a cambio; es paciente y nunca busca sus propios intereses. Muchas jóvenes hacen de todo para poder decir que tienen un novio. Muchas mujeres llegan al punto de iniciar relaciones que no tienen ningún futuro sólo para poder tener un hombre con quien pasar las noches. Mujeres solteras se quedan embarazadas solamente para realizar el deseo de ser madres. Infelizmente, ése es el único tipo de amor que muchas personas conocen, el amor que sólo quieren para sí, que pide, exige, saca provecho, recibe y que siempre acaba por complicar la vida de muchos. Esas personas no piensan en nadie más que en sí mismas.

Cuando Dios dio a Su Hijo, Él no tenía la intención de asumir el control de las personas, pero lo entregó simplemente para beneficiarlas, para que pudiesen ser salvas. Esto sí es amor verdadero: Dar sin saber si se va a recibir algo a cambio. Él es incondicional, no importa lo difícil que la situación se vuelva, es real y nunca se acaba.

Podemos definirlo así: *"Pero yo os digo: amad a vuestros enemigos y orad por los que os persiguen"* (Mateo 5:44). Solamente el verdadero amor puede tener una actitud como ésta en un mundo donde las personas se odian por cualquier cosa. Solamente aquéllos que conocen el verdadero amor consiguen amar a Dios de verdad. Las personas buscan a Dios por varios motivos y piensan que Lo aman, pero la verdad es que tienen una agenda llena de compromisos y Dios tiene la "obligación" de cumplir lo que prometió en sus vidas.

¿Por qué es tan difícil entender el verdadero amor? ¿Por qué no es más popular y más accesible? Simplemente porque no es fácil y son poquísimas las mujeres que están dispuestas a pagar el precio de la renuncia y del sacrificio a favor de otras personas, se sirven a sí mismas y, por eso, no pueden y nunca encontrarán el verdadero amor.

Mi primera experiencia con el verdadero amor fue cuando conocí a mi Señor y, desde entonces, Él ha estado siempre conmigo. No tengo palabras para describir tan gran amor. Solamente cuando tú Lo encuentres podrás entenderlo y dar.

Notas

Un brillo especial

A partir del momento en que ella entra por la puerta, el lugar queda inmediatamente iluminado y su brillo es visible para todas las personas. Nadie consigue explicar qué es tan especial en su manera de hablar y sonreír. Es inevitable que sonría cuando te mira – no necesariamente porque te conozca, sino, simplemente, su forma de ser, es su brillo. Te sientes especial simplemente por su manera de hablar, incluso sabiendo que eres igual que todo el mundo. Y cuando está triste, es casi imposible notarlo, a no ser que la conozcas muy bien. Está muy segura de sí misma y de todo lo que hace. No es sorprendente que otras mujeres intenten ser iguales que ella. Aunque su brillo no consista en tener belleza y popularidad, siempre está llamando la atención de todos.

¿Has encontrado a alguien así? ¿No es un privilegio conocerla? Es un placer estar cerca de una persona así, conocerla mejor, tenerla como profesora... Acabas queriendo ser igual a ella. Ahora bien, ¿qué tiene que la hace tan especial? ¿Qué brillo es ese tan raro y difícil de conseguir? Es el Espíritu Santo. Una persona que está llena del Espíritu de Dios posee un brillo especial, es fructífera y todos a su alrededor se benefician de sus frutos. El fruto del Espíritu Santo es *"amor, gozo, paz, paciencia, benignidad, bondad, fidelidad, mansedumbre, dominio propio"* (Gálatas 5:22,23). Ése es el brillo que la mujer de Dios tiene. No todas lo poseen, no todas las mujeres ven la necesidad de tenerlo, no todas lo buscan y, por eso, ¡es tan especial y raro de encontrar! Yo conozco a mujeres que tienen ese brillo y puedo afirmar que destacan entre todas las demás.

Su amor hacia Dios y hacia todo lo que Él creó es fácil de percibir, pues vive para mostrar ese amor. Su alegría es natural, nunca forzada. En momentos difíciles, su paz trae ánimo a las personas. Su longanimidad con aquéllos que son más débiles en la fe, revela su lado maternal. Su benignidad para los demás, independientemente del color o la nacionalidad, es muy admirada. Su bondad para servir a todos y cualquiera que se encuentre en su camino, demuestra que es una sierva de Dios. Su fidelidad respecto a las responsabilidades que recibe, demuestran su espíritu excelente. Su mansedumbre al hablar y al relacionarse con las personas hace que éstas se aproximen a ella. Su dominio propio revela su madurez espiritual.

Muchas mujeres dicen que tienen el Espíritu Santo, pero están siempre tristes, enfadadas, confusas, ansiosas y malhumoradas. ¿Cómo puede ser? Está claro que aquéllas que tienen el Espíritu Santo dan sus frutos. ¡No puede ser de otra manera! Hay mujeres capaces de hundir a otras personas cada vez más, en lugar de levantarlas. Algunas nos avergüenzan cuando dicen que son cristianas. Nunca se alegran por los demás y rehúsan ayudar a quienes no pertenecen a su familia. Cualquier responsabilidad que se les da, seguramente será hecha de cualquier manera, pues sólo piensan en sí mismas.

¿Quieres tener ese brillo especial? Entonces busca al Espíritu Santo – ¡y sólo ten la seguridad de haberlo recibido cuando comiences a ver Su fruto en tu vida!

Notas

Quitándose la máscara

ctualmente, es muy difícil conocer la verdadera cara de una persona, llegando a servir este asunto de inspiración para músicos y poetas. Las personas ya crecen pensando en la manera de esconder su verdadera personalidad. Unos para protegerse, y otros, para ganarse el respeto y la honra.

Diariamente, todo lo que se ve en los periódicos y revistas son personas sonriendo a las cámaras como si fuesen las más felices del mundo; sin embargo, todo esto no pasa de ser una gran ilusión. Esas personas son las mismas que sufren con insomnio, que no consiguen mantener una relación duradera, se emborrachan para huir de los problemas, están presas por engancharse a las drogas o por cometer robos. Son quienes, antes o después, acabarán quitándose vida.

Una de las cosas que Dios más desea es encontrar en nosotras un corazón sincero. Una persona sólo puede conocerlo si su corazón está abierto para Él. No es que Dios no nos conozca, todo lo contrario, Él sabe incluso cuántos cabellos tenemos en nuestra cabeza. Lo cierto es que cuando nos disponemos a ello, automáticamente nos libramos de todo aquello que nos ha servido de máscara, es en ese momento que abrimos nuestro corazón.

Muchas personas tienen dificultades para entender lo que significa abrir el corazón a Dios. Escuchan esa expresión siempre que vienen a la iglesia y empiezan a considerarlo como un asunto sin importancia, sobre el que los pastores insisten, ¡sólo que no es así! Como ya dijimos antes, una persona solamente puede conocer a Dios si se abre para Él. Mientras estemos apegadas a nuestra máscara, es decir, a nuestro orgullo, Dios no podrá ayudarnos. Podemos orar, ayunar, hacer propósitos… pero, aun así, no vamos a encontrarle.

Dios nos conoce, por dentro y por fuera, incluso más que nosotras mismas. Por eso, ¿para qué esconderle lo que realmente somos? ¿Por qué colocarnos una máscara y fingir que no necesitamos su ayuda? ¿Por qué esconderle que llegamos al fondo del pozo? ¿Será que todavía no estamos sufriendo lo suficiente? La verdad es que cuando no somos sinceras con Dios, nos convertimos en ¡verdaderas tontas ante sus ojos! Aun así, hay personas que todavía prefieren mantener la apariencia de felicidad. No importa lo que estén enfrentando en el matrimonio, la vida económica o espiritual; en fin, no importa los problemas que estén viviendo, todo lo que les interesa es que los demás piensen que son felices y que tienen una vida perfecta – ¡como si alguien tuviese una vida perfecta en este mundo! ¡Sepa que incluso las mujeres nacidas de Dios y llenas del Espíritu Santo enfrentan problemas de vez en cuando para que puedan ejercitar su fe! *"El orgullo del hombre lo humillará, pero el de espíritu humilde obtendrá honores"* (Proverbios 29:23).

Nuestra verdadera cara es visible ante los ojos de Dios y, a veces, incluso a los ojos de aquéllos que le pertenecen. Solamente una tonta intentaría esconder quién es realmente. Por eso, sé tú misma y permite que Dios te moldee. ¡Usa maquillaje, sí! Sin embargo, ¡no permitas que forme parte de tu vida!

Notas

La relación que funciona

onestamente, ¿puedes decir que eres amiga íntima de alguien con quien no conversas, aunque te guste y tengas un cariño especial por ella? Es obvio que no, pues una relación depende de la comunicación. Nadie puede soportar una convivencia basada sólo en lo que la otra persona representa. El matrimonio, los hijos y los amigos necesitan tener un tiempo para poder interactuar. Es necesario que tengamos tiempo para conversar con las personas que son importantes para nosotros. A veces, la conversación no es demasiado interesante, pero, aun así, es extremadamente necesaria para el mantenimiento de la relación.

Con Dios no es diferente. Muchas hablan con orgullo de su fe en Dios, sin embargo, no tienen comunión con Él. Son las cristianas ocupadas. Las 24 horas del día están ocupadas con todo menos con las cosas de Dios. Aunque frecuentan la iglesia apenas unas horas por semana, piensan que ya hacen lo suficiente para mantener el título de cristianas. ¿Podrías tener algún tipo de relación con tu marido si conversaras con él solamente dos veces por semana? Yo creo que no. Además, si esto ha pasado, estoy segura de que esos pocos momentos en que estabais juntos han estado llenos de peleas y discusiones. Si tu relación con Dios está basada en una creencia y nada más, entonces, esta relación no tiene la menor oportunidad de sobrevivir.

Como en cualquier otra relación, necesitamos comunicarnos con Dios para que podamos establecer una comunión verdadera. Dios no mira nuestro título de cristiana, no es el título lo que nos hace cristianas. Sólo podemos decir que somos verdaderamente cristianas si conocemos a Dios personalmente en nuestro día a día.

La mujer de oración tiene gran valor delante de Dios porque Él sabe que, aunque tenga muchas cosas que hacer y esté siempre muy ocupada, siempre separará un tiempo para hablar con Él. Si eres madre, sabes que algo está mal si tu hijo deja de comunicarse contigo. Lo mismo sucede respecto a Dios. Tú puedes incluso tener un cargo importante en la iglesia, pero si no conversas con Dios como hablas con las personas de tu alrededor, tu relación con Él es pobre y deficiente.

Para ilustrar esto, el Señor Jesús dice:

"Muchos me dirán en aquel día: Señor, Señor, ¿no profetizamos en tu nombre, y en tu nombre echamos fuera demonios, y en tu nombre hicimos muchos milagros? Y entonces les declararé: Jamás os conocí; apartaos de mi, los que practicáis la iniquidad."

Mateo 7:22,23

Algunas de nosotras leen este versículo y no perciben lo serio que es. Nuestro Señor está afirmando que ¡muchas cristianas van a ir al infierno! Y si mencionó a aquéllos que Le sirvieron, ¡imagínate lo que sucederá con aquéllas que no Le sirvieron!

Es el momento de ser sabias y dejar de fingir, pues la relación con Dios es mucho más que una simple religión. Establece un horario para hablar con Él todos los días – preferentemente cuando no haya nadie que pueda interrumpirte. No tardarás mucho en darte cuenta de lo mucho que esta aproximación te fortaleció y completó, además de haber tenido intimidad con el Único que puede satisfacer todas tus necesidades.

Notas

_____

_____

_____

_____

_____

_____

¡Pero qué vino!

Alguna vez has visto frutas frescas mezcladas con frutas viejas? Es una escena, simplemente inaceptable, especialmente en los supermercados. No solamente porque se desvalorizan las frutas, sino, porque principalmente, las frutas viejas se pudren más rápidamente y estropean a las frescas – esto también sirve para las legumbres y verduras y es una regla básica de toda ama de casa en la cocina.

Piensa en lo que el Señor Jesús dice: *"Y nadie echa vino nuevo en odres viejos, porque entonces el vino romperá el odre, y se pierde el vino y también los odres; sino que se echa vino nuevo en odres nuevos"* (Marcos 2:22).

Esto es exactamente lo que pasa con las mujeres cristianas que buscan el nuevo nacimiento sin haber abandonado la vieja vida. Una persona no puede ser joven y vieja al mismo tiempo, pero muchas ignoran esa realidad e insisten en buscar el nuevo nacimiento mientras permanecen en la vieja vida llena de resentimiento, malos pensamientos, mentiras, amargura e hipocresía. ¿Cómo se puede tener una vida nueva en tales circunstancias?

Tal vez, te hayas preguntado por qué estás tardando tanto en nacer de Dios. Nunca te pierdes una reunión el domingo por la mañana y te esfuerzas para estar en la iglesia todos los miércoles después del trabajo; aun así, el milagro del nuevo nacimiento que tanto buscas, parece no suceder nunca. Muchas veces vemos personas que toman posesión de ese milagro por la fuerza, es decir, sin realmente tener la seguridad del encuentro con Dios, ¡asumen que lo tuvieron y punto! A fin de cuentas, lo han buscado desde hace tanto tiempo…

¿Por qué Dios impedirá a una persona nacer de Él? En realidad, creo que Dios es la persona más interesada en que esto ocurra. A fin de cuentas, solamente las nacidas de Dios pueden ser llamadas ¡hijas de Dios! Por eso, es obvio, que el motivo de tanta tardanza está en una falta de comunicación entre tú y Él. ¿Habrá tenido Dios el acceso directo a tu corazón para que pueda realizar esa operación tan delicada? ¿Qué se puede hacer? ¿Cómo conseguir el nuevo nacimiento teniendo esta vieja vida, llena del equipaje del pasado? Sencillo. ¡Sé un odre nuevo! Cambia. Deja de guardar resentimiento, de mentir, de estar amargada con las personas de tu alrededor. No cultives malos pensamientos, no critiques ni juzgues a otros. Deja de fingir. Líbrate de todo lo que te sujeta a la vieja vida y estarás preparada para convertirte en una nueva persona. Cuando Dios vea tu determinación por convertirte en una nueva criatura, cueste lo que cueste, hará aquello que tú no puedes para que ese nuevo nacimiento finalmente suceda.

Una persona nace de nuevo cuando cambia de dentro hacia fuera. No se trata de una versión mejorada de la vieja criatura – además, eso es exactamente lo que sucede con aquéllas que no son verdaderamente nacidas de Dios, pero que fingen serlo. Cuando una persona nace de Dios, tiene Su ADN. En otras palabras, la persona es como Él. ¡Eso mismo! La persona es semejante a Dios. Empieza a tener la naturaleza divina y nada de este mundo es capaz de derrotarla. Incluso aunque caigan mil a su lado y diez mil a su derecha, ella no caerá (Salmos 91:7).

Después del nuevo nacimiento, no hay lugar para complejos o falta de amor propio. ¿Sabes por qué? Porque Dios no tiene complejos ni se auto desprecia. Además, si eres semejante al Propio Dios, ¿por qué preocuparse con esas cosas, no?

Notas

La reina perversa

uando se oye hablar de que la mujer puede tanto levantar a un hombre como derrumbarlo, muchos piensan que es una exageración. La Palabra de Dios da varios ejemplos de esos dos tipos de mujeres, pero existe una que, aunque no sea muy conocida, hizo cosas horribles en Israel. Esta mujer, llamada Atalía, pertenecía a la familia real (lee 2 Crónicas 22). Era la nieta de uno de los reyes de Israel cuyo reinado fue un fracaso. Más tarde, se casó con un rey de Israel y tuvo un hijo llamado Ocozías, que se convirtió en rey después de la muerte de su padre.

Siguiendo el ejemplo de su padre y de su madre, Ocozías no temía a Dios e hizo lo que era malo durante su reinado. Como consecuencia, murió siendo todavía muy joven. Atalía, a su vez, no estaba dispuesta a perder su popularidad. Todo el lujo que tenía en su palacio era demasiado bueno para que pudiese dejarlo, por eso decidió matar a todos los herederos reales y asumir el trono. ¡Exactamente! ¡Matar a niños inocentes a cambio de más poder! Aparentemente, aquella mujer había enloquecido. No se preocupó con las consecuencias de sus actos, que ciertamente la harían quedar muy mal delante de todo el pueblo de Israel y delante de Dios.

Tengo la seguridad de que Atalía nunca imaginó que un día llegaría al punto de matar para tener que mantener su reinado. No tuvo una infancia difícil, pues nació en cuna de oro, tenía de todo. Tuvo la mejor educación y también lo mejor de todo lo que había en el reino, pero nada de eso fue suficiente para convertirla en buena persona.

La verdad es que la mujer que no se conoce, no sabe de lo que es capaz. No se puede saber cuál será su reacción en determinadas situaciones y, esto, muchas veces ¡es aterrador! Cuando estamos a su lado, es como si caminásemos sobre huevos. Sus sentimientos nunca se conocen. Un día le caes muy bien, otro día, te odia. Al final de cuentas, ¿quién es esa mujer? Ni ella misma lo sabe, por eso ¡no te sorprendas!

Sólo debemos esperar algo bueno de una mujer cuando se conoce a sí misma – y esta cualidad, solamente la tiene la mujer de Dios. Hay muchas mujeres por el mundo que afirman conocerse a sí mismas muy bien, pero eso no es verdad. Si se conociesen a sí mismas, sabrían que la mejor cosa que pueden hacer es conocer a Dios. Intentan tener éxito de todas las maneras y sin la ayuda de Dios, y acaban frustradas.

La mujer de Dios se conoce a sí misma. Sabe lo que el futuro le reserva, no porque sea una vidente, sino porque es lo que su fe le prepara para los próximos días. Nada ni nadie puede quitarle esa convicción de su interior porque es algo que viene de lo alto.

Si tú deseas tener esta misma convicción, basta con ir hasta la Fuente: tú Creador. A cambio, Él hará de ti la persona que planeó desde el principio.

Notas

El día en que nací

$\mathcal{F}$ue una bonita mañana de domingo. Estaba sentada en la primera fila y me parecía que eso era suficiente – a fin de cuentas, estaba en la iglesia desde niña. Conocía todas las historias de la Biblia y tenía perfecto conocimiento sobre lo que estaba bien y lo que estaba mal. Allí estaba yo, una adolescente que no tomaba drogas, no iba con malas compañías, no iba a fiestas o discotecas, no bebía, no tenía novio y no mentía. Aquel día, el obispo predicó sobre la parábola de la cizaña y, de repente, mi corazón comenzó a latir más fuerte. No sabía el por qué, pero empecé a tener la impresión de que era cizaña y no trigo. No conseguía entender nada, al fin y al cabo, ¡era prácticamente una "santa"! ¿Por qué me sentía como si no fuese trigo, es decir, como si no fuese hija de Dios?

En seguida, el obispo pidió que fueran delante del altar aquéllos que habían reconocido su condición espiritual y que, por eso, les gustaría tener un verdadero encuentro con Dios. Todo tipo de pensamientos vinieron a mi mente en aquel instante. Si iba delante del altar, mi familia y mis amigos me verían y descubrirían que los había estado engañando durante todo aquel tiempo. Estaba muy avergonzada, por eso, pensé en quedarme y hacer mi oración allí mismo, donde estaba. Mientras tanto, algo me decía que debía quebrar mi orgullo para poder conocer a Dios. Tenía que renunciar a mi imagen delante de los otros; ése era el precio que tenía que pagar. Entonces, fui hacia delante. Sentí que todos me miraban, pero estaba determinada a despojarme de aquella imagen de "santa" y ser quien realmente era delante de Dios. Aquél fue el último minuto de mi vieja vida. Tenía 15 años de edad cuando tuve mi verdadero encuentro con el Señor Jesucristo. No estaba llena de pecados, pero era una pecadora. No vivía en el error, pero estaba equivocada. Aquél fue el día más feliz de mi vida; hasta ese momento oía hablar de Dios pero no Le conocía de verdad. No conseguía dejar de llorar y, cuando la oración terminó, quería abrazar a todas las personas que estaban a mi alrededor; quería subir a una montaña muy alta y hablar del Señor Jesús para el mundo entero. Simplemente no conseguía dejar de sonreír, era como si hubiera vuelto a ser una niña. Después de aquel día, me di cuenta de lo vacía que había estado mi vida; lo insegura y miedosa que había sido, con la mente infectada de malos pensamientos; de cómo mis planes para el futuro habían sido triviales y dudosos. Para ser sincera, no conseguía entender lo que era la iglesia, quién era el Espíritu Santo, quién era Dios. Sabía que era el camino adecuado, pero no sabía el porqué.

Me convertí en una nueva Cristiane. Todo empezó a tener sentido, todo se volvió claro y simple después de aquel día. Ya no tenía miedo de hablar del Señor Jesús porque ¡ahora realmente Lo conocía! Simplemente me convertí en una nueva persona – la mujer que soy hoy. Cuando miro hacia la vida que llevaba antes de nacer de Dios, tengo la sensación de que vivía vacía como si fuese otra persona. Es difícil explicar el cambio que se produjo en lo más profundo de mi ser. Solamente la persona que realmente es nacida de Dios consigue entenderlo. Muchas personas tienen dificultad para entender por qué todavía no nacieron de Dios. No hay secretos. Simplemente renuncia a tu orgullo y reconoce que necesitas conocer a Dios y Él hará el resto.

Notas

_____

_____

_____

_____

_____

_____

La inolvidable

$\mathcal{N}$o todo el mundo hace la diferencia. Existen aquellas personas que son maravillosas y que nunca las olvidarás. Esas personas son inolvidables porque su vida significa algo para ti. No son como cualquier otra persona – marcaron la diferencia. Es mucho más sencillo vivir con intensidad y dejar que los demás conquisten lo que quieren por sí mismos. Sin embargo, la mujer que quiere marcar la diferencia en el mundo no se siente bien concentrándose sólo en su propia vida. Sabe que para marcar la diferencia tendrá que dejar su vida un poco de lado para tocar en la vida de otras personas. Y, por eso, no son muchos los nombres de las personas que dejaron huella en nuestra vida. Son únicas, hicieron algo fuera de lo común, alguna cosa que nadie jamás hizo – fueron diferentes.

No es fácil ser única y hacer cosas que la mayoría de las personas generalmente no se atreverían a hacer. Es necesario enfrentar obstáculos, tales como: malentendidos, críticas, falsas acusaciones y mucho más. Eso pasa porque, cada vez que haces algo fuera de lo común, automáticamente, destacas y te hace sobresalir entre la multitud. De repente, todos los ojos se clavan en ti, intentando entender o encontrar la razón por la que llamas tanto la atención. Las personas no guardarán tus palabras, pero te criticarán y te juzgarán cuando vean lo bien que te está saliendo todo lo que haces y, secretamente, desearán estar en tu lugar. En el momento en que sales de tu zona cómoda y empiezas a marcar la diferencia en el mundo, también empiezas a enfrentarte a los malos entendidos. Solamente aquéllas que quieren andar una milla más y sacrificarse, son las que realmente pueden marcar la diferencia y ser inolvidables.

En la época del Apartheid, muchos sudafricanos se rebelaron y sintieron rabia del sistema de discriminación, pero pocos fueron los que hicieron algo en su contra. Los pocos que marcaron la diferencia, seguramente fueron malentendidos y criticados, incluso, por sus seres queridos; pero hoy, sus nombres forman parte de la historia. Todas las personas de África del Sur conocen a Nelson Mandela y, sin esfuerzos, le eligieron presidente después de la era del Apartheid. ¿Por qué? Porque él sobresalió y se esforzó al máximo, no le importó lo que las personas pensaban o cuáles serían las consecuencias de sus acciones. Es una de las personas inolvidables de nuestra era.

Tú no necesitas estar preso o ser golpeado para marcar la diferencia. Si eres honesta con una amiga y le muestras sus equivocaciones con claridad, las cuales tarde o temprano la herirán, ya estás dejando huella en su vida. Ella puede no entenderte y pensar mal de ti, pero nada mejor que el tiempo para revelar la verdad y mostrarle lo inolvidable que eres. Fuiste una verdadera amiga, alguien que se preocupó lo suficiente como para decirle la verdad sin preocuparse con su propia imagen o su ego. Algunas personas piensan que es muy costoso marcar la diferencia en la vida de una persona y que las oraciones ya son suficientes. Yo, por otro lado, agradezco a Dios por haber tenido verdaderas amigas que, no solamente oraron por mí, sino que fueron lo suficientemente valientes como para ayudarme a ver lo que no estaba consiguiendo. Nunca me olvidaré de ellas; estarán para siempre en mi corazón. *"Mejor es la reprensión franca que el amor encubierto"* (Proverbios 27:5).

Notas

_____

_____

_____

_____

_____

_____

_____

Su tesoro más grande

*H*as visto cómo me miró? ¡Nunca más hablaré con ella! Puedo buscar a Dios en casa, a fin de cuentas, Él está en todas partes". Sin darse cuenta, muchas personas echan fuera uno de los bienes más preciosos: La fe. Pequeñas cosas aquí y allí, son suficientes para comprometerla, haciendo que una persona parezca una concha vacía – bonita pero inútil. Tanto potencial y un futuro brillante por delante, pero no soporta ciertas cositas, como si marcasen una gran huella en su vida.

¿Por qué somos tan tontas? Creo que es porque no nos damos cuenta de lo importante que es nuestra fe. Pensamos que las cosas pequeñas no pueden destruirnos, pero, en realidad, se extienden rápidamente en nuestro corazón, causando un cáncer espiritual difícil de detectarse. Las personas que están afectadas por esa enfermedad no pueden ser curadas – no porque no exista curación para eso, sino porque no se dan cuenta de que tienen un problema. Piensan que el problema está en las demás y ellas tan sólo son las "pobres víctimas".

La fe es el bien más importante que una persona pueda tener. Sin ella, estamos condenadas a la ruina, sin importar lo ricas que seamos. La fe es el único camino para llegar a Dios; por eso, dale valor a tu fe. No la desprecies debido a alguna cosa que alguien hizo o habló. Nadie merece nada de Dios y, si no fuese por la fe que Él nos dio, estaríamos muertas espiritualmente. Guardar nuestra fe es la actitud más sabia que podemos tener. No te dejes contaminar por los cotilleos, las malas miradas, los malos entendidos, las conversaciones maliciosas, las dudas y tantos otros enemigos de la fe. Es inútil frecuentar una iglesia y vivir una "vida cristiana" si la fe no está en tu corazón. Algunos miembros ya la perdieron hace mucho tiempo y es por eso que su vida muestra algo totalmente contrario a lo que Dios prometió en Su Palabra. ¿Dónde está ahora tu fe? ¿Cómo la has sustentado? No seas tonta pensando que aquellos "pecaditos" cometidos aquí y allí pueden no tenerse en cuenta... ¿No sabes que son las "zorrillas" las que destruyen la vida? Lee Cantares 2:15.

Piensa en esto: ¿Crees que realmente vale la pena quedarse con rabia o amargada por la manera en que alguien te ha mirado? ¿O por la manera en cómo te habló? Una persona solamente puede considerarse espiritualmente madura si no mira los errores de los demás, con el objetivo de que su fe no se contamine. Una vez alguien preguntó: "¿Por qué no veo las promesas de Dios en mi vida?" A pesar de ser una pregunta muy personal, la respuesta, ciertamente, tiene que ver con el tipo de fe que la persona ha vivido. Existe la fe cien por cien y existe aquella fe falsa que muchas cristianas manifiestan hoy en día. La verdadera fe es inmaculada, en otras palabras, no se mancha por ninguna circunstancia de este mundo; es aquélla que nos conduce hacia la victoria y, sin ella, nada tiene sentido.

Notas

_____

_____

_____

_____

_____

_____

_____

_____

_____

_____

Fin del juego

A nadie le gusta perder. Aunque algunas personas digan que juegan simplemente por placer, en realidad, saben que habría sido mejor si hubiesen ganado la partida, cualquiera que sea el juego. Las personas juegan porque quieren vencer, es así de sencillo. Yo sólo querría saber por qué algunas no siguen esa "reglita" tan obvia respecto a su propia vida.

Trabajan duro, intentan siempre atender a la familia, en fin, hacen de todo para tener una vida agradable y correcta, para decir al final: "Bueno, hice lo mejor que pude, así es que tengo que contentarme con la insignificante vidita que llevo". Pero ¿qué es esto? ¿Por qué das tanto y recibes tan poco? ¿Nunca te cansas? Yo me cansaría. Habrá quien diga: "Mi fe es pequeña y no es suficiente para conquistar grandes cosas." ¿Qué tipo de fe es esta? La fe no nos fue dada para que pudiésemos conquistar sólo la salvación, sino también una vida que condujese a otras personas a alcanzar la vida eterna. ¿Tú piensas que conseguirás ser un testimonio de Dios llevando una vida de pésima calidad?

La gente a las que no les gusta la iglesia o el cristianismo suelen decir que los cristianos son débiles. ¡Eso es una humillación! Pero, según lo que vemos en la vida de muchos cristianos, sólo podemos quedarnos con la boca cerrada. Si es humillante para nosotros, ¡imagine para Dios! ¿Cuánta vergüenza sentirá cuando uno de Sus hijos se conforma con una vida miserable? Si tú eres madre, sabes lo vergonzoso que es ver a tu propio hijo vistiendo ropa vieja o harapienta, mientras que los demás niños a su alrededor se visten adecuadamente. Parece como si fueras tú quien está llevando esa ropa vieja. En realidad, ¡te sientes más avergonzada que el propio niño!

No basta con ser buena; eso no es suficiente para dar testimonio del Señor Jesús. ¿Quieres hablar de Él? ¿Quieres hacer Su Obra? Entonces, ¿qué tienes para mostrar a las personas? Cualquiera puede hablar de Dios, pero no todos pueden mostrarlo en su vida. Además, si no consigues conquistar las bendiciones materiales ¿cómo conseguirás las bendiciones eternas?

¿Ya te has preguntado por qué Dios nos creó? Con seguridad no fue para que sirviésemos de marionetas o para divertirse con nuestras luchas diarias. Dios nos creó para Su Gloria. Hijas que tendrían el libre albedrío para elegir si vivirían para Él – ¡la verdadera honra! Dios sólo es glorificado cuando esto se convierte en una realidad. Tu alabanza y tu adoración no tendrán ningún valor para Dios si tu vida no revela Su gloria. ¿Cómo podrás alabar a Dios si vives en un verdadero infierno dentro de casa, o si de vez en cuando te deprimes o no tienes dinero ni para comprar el pan de cada día?

Resumiendo: Tú tienes que conquistar y vivir al máximo, antes de que llegues al fin. Tus hijos, ciertamente, querrán seguir tus pasos, tus amigas verán la diferencia en ti y tus enemigos quedarán asombrados con sólo mirar tu vida. Te sentirás realizada y, lo más importante de todo: Estarás cumpliendo el propósito por el que existes, que es glorificar a Dios con tu vida. ¡Fin del juego!

Notas

_____

_____

_____

_____

_____

_____

_____

¿Necesitas colirio?

*M*ientras aquella hermosa joven se dirigía al altar para dar su testimonio, una mirada inesperada vino de en medio de la congregación... Con el rostro colorado, bajó los ojos a medida que la joven se aproximaba al pastor. La miraba de arriba abajo, como pidiéndole que bajase y se quedase bien quietecita. Pero ¿de dónde venía aquella mirada? ¡Se trataba de otra joven frustrada!

¿Ya intentaste hacer algo mirando la vida de otra persona? Simplemente no consigues hacer nada, pues no te concentras en tu propio trabajo. Es imposible obtener ningún resultado. Lo mismo sucede con nuestra vida y es exactamente en esto donde muchas mujeres han fracasado. Muchas no consiguen despegar sus ojos de la vida de otras mujeres – miran la forma como se visten, lo que hacen, con quien están casadas, su peso, el color del pelo, etc. De modo general, las mujeres se quedan fascinadas por otras mujeres -¡no es una casualidad que se vendan tantas revistas femeninas! El problema es que, mientras una mujer se preocupa por mirar la vida de las otras, se olvida de mirar la suya, y ¿quién hará esto por ella? ¡Nadie, está claro!

Aquellas que no se quedan mirando lo que las otras hacen o dejan de hacer son, generalmente, las que van hacia delante – y, lógicamente, son envidiadas por las que nunca consiguen nada en la vida. En Mateo 6:22 y 7:1-5, el Señor Jesús habla sobre este asunto, diciendo: *"La lámpara del cuerpo es el ojo; por eso, si tu ojo está sano, todo tu cuerpo estará lleno de luz [...] No juzguéis para que no seáis juzgados. Porque con el juicio con que juzguéis, seréis juzgados; y con la medida con que midáis, se os medirá. ¿Y por qué miras la mota que está en el ojo de tu hermano, y no te das cuenta de la viga que está en tu propio ojo? ¿O cómo puedes decir a tu hermano: Déjame sacarte la mota del ojo, cuando la viga está en tu ojo? ¡Hipócrita! Saca primero la viga de tu ojo, y entonces verás con claridad para sacar la mota del ojo de tu hermano."*

Cuando empezamos a mirar la vida de otras personas es inevitable que las juzguemos. Las juzgamos porque es lo que sucede cuando nuestros ojos están fijos en cualquier cosa que no sea la voluntad de Dios y nuestra propia vida. Tal vez ésta sea la razón por la que la bendición no llega. Tú trabajas, sacrificas, haces de todo lo que te han enseñado (con excepción de lo que acabamos de decir), pero no consigues tener éxito. Insistes en decir que Dios sabe cuál es el momento adecuado para cada cosa – y estás absolutamente segura. ¡Todavía no estás preparada para recibir aquella bendición tan deseada! Si no consigues quitar los ojos de la vida de los demás, principalmente de las que están en la fe, ¿cómo podrás ver aquello que está delante de ti? Señalar con el dedo o juzgar a las personas, no soluciona nada. Uno de los mayores defectos de las mujeres es el deseo incontrolable de hablar mal de otras mujeres, especialmente si tienen éxito y son más bellas. Ningún hombre soporta ese tipo de comportamiento, pues revela lo inseguras e inadecuadas que son tales mujeres. ¡Ahora, imagínate Dios!

Notas

Belleza sin sentido

*I*ntenta imaginar un cerdo saltando en el barro con un anillo de oro en el hocico. ¡Difícil! ¿No? Pero es exactamente así como la Biblia describe a la mujer que no es discreta (lee Proverbios 11:22). Difícil de aceptar, pero es verdad. La discreción es definida en el diccionario como la cualidad de quien es reservado, comedido y no revela los secretos de otros. En otras palabras, la capacidad de discernir entre lo que es bueno o no para decir y hacer.

Muchas mujeres no se dan cuenta de lo importante que es la discreción para su propia reputación. Intentan mostrar mucha bondad y gentileza pero, cuando llega el momento de ser discretas, no lo consiguen. Fácilmente cotillean sobre las personas, critican a los demás y hablan sobre asuntos personales con personas que nada tienen que ver con ellas, además de hacer chistes con personas equivocadas, en el momento equivocado y con las palabras equivocadas. Otras sufren porque no consiguen mantenerse en el lugar debido. No se dan cuenta de lo ridículo que es encontrar una mujer gritando o hablando alto con los demás, coquetear con hombres comprometidos y ser grosera en público con las personas queridas. Sin olvidarnos de aquéllas que son indiscretas en la manera de vestir, como si sus cuerpos fuesen el centro de deleite para todos los hombres. Tales mujeres son bonitas pero, debido a la manera de hablar y de sus actitudes, su belleza se vuelve, simplemente, vana. Es semejante a los escándalos que se oyen sobre una persona muy famosa: Cada vez que esa persona aparece en la televisión, rápidamente viene a la memoria el último escándalo en el que se envolvió. La imagen que se tenía de ella, queda rápidamente manchada. Debido a su falta de discreción, su belleza ya no es apreciada.

Ser discreta también significa evitar meterse en problemas. Piensa en ello. Vamos a usar los ejemplos que ya tenemos:

1 . Cotilleos y críticas – Cuando una mujer cuenta un cotilleo de alguien a una amiga, ciertamente, también cotilleará de esta amiga con las otras. Esto significa que, probablemente, tiene pocas amigas y las amigas que tiene no confían en ella.

2 . Compartir asuntos confidenciales – Frecuentemente, tu familia es víctima de tus comentarios innecesarios y, por esto, no se puede confiar en ti para guardar información importante y confidencial.

3. Chistes impropios – Simplemente hacen a la mujer parecer una persona tonta y desagradable para la convivencia.

4 . Gritar y hablar alto con los demás – Significa que la mujer está tirando por el suelo toda su feminidad y que es una persona difícil con la que lidiar.

5 . Coquetear con hombres comprometidos - ¿Es necesario mencionar qué tipo de problemas traerá esta actitud a la persona?

6 . Ser grosera con las personas más queridas – Si una mujer es brusca con las personas más cercanas a ella, imagínate con las que no lo son.

7 . La falta de discreción en la forma de vestir – Puede significar que la persona necesita atención desesperadamente. Algunas mujeres ya sufrieron abusos sexuales y fueron incluso violadas debido a la manera en cómo se vestían.

Seamos bellas con sentido común. En definitiva, ninguna mujer quiere ser comparada con un hocico de cerdo.

Notas

Ella lo entiende

A lguien dice algo que a ti no te gustó y aquel comentario o cotilleo se queda palpitando en tu corazón, haciendo que sea más difícil olvidar y perdonar. Estás decepcionada con alguien que estimabas mucho porque hizo algo que te dañó profundamente. Escuchaste a alguien que ni conoces hablando mal de ti a tus espaldas y te sentiste víctima de la injusticia. La lista de cosas que te lastiman nunca termina. Es como si no existiesen personas buenas y, empiezas a preguntarte si no sería mejor esperar lo peor de todos a tu alrededor. *"Nadie es bueno, sino sólo uno, Dios"* (Lucas 18:19). Muchas personas saben, pero no reconocen, este concepto. Piensan que se aplica solamente a extraños o a personas con mal carácter; sin embargo, la Biblia es muy clara cuando dice que "nadie es bueno" – ¡lo que te incluye a ti y a mí! Nadie es lo suficientemente bueno, a no ser el Padre. Todas nosotras tenemos defectos y debilidades. Siempre existirá alguna cosa que todavía no aprendimos o experimentamos y, por eso, cometemos errores. Esto es un hecho, y aquéllas que son espirituales, es decir, nacidas de Dios, lo saben y entienden.

Cuando una persona es espiritual, entiende a aquéllos que están a su alrededor, pues mira las cosas de forma diferente. Puede quedarse nerviosa o con rabia en el momento, pero aquella rabia e indignación no dura más de un día, pues su espíritu tiene el control. Sin embargo, cuando una persona es carnal, es decir, nacida de la carne, no entiende a las personas a su alrededor. Es muy difícil para ella no guardar rencor en su corazón, pues sus emociones hablan más alto que su espíritu. Ésta es la diferencia entre cristianas y cristianas. Las que son nacidas del Espíritu se comportan, piensan y actúan como Él. Las que son nacidas de la carne se comportan como cualquier otra persona se comportaría – piensan y actúan de la manera que mejor les parece. Muchas están llenas de rencor, envidia, celos y orgullo, como si fuese algo natural. Esos malos sentimientos vienen precisamente debido a su inclinación a hacer las cosas carnales y a vivir según el deseo del alma. No son malas, pero hacen lo malo. No quieren lastimar a nadie, pero hieren a aquellos que están más cerca de ellas.

Algunos niños tienen un total desinterés por las cosas de Dios debido al mal testimonio de sus madres en casa. Ciertos maridos se sienten indignos de poner los pies en la iglesia debido a que sus mujeres son miembros activos en la iglesia y, por eso, están siempre jactándose de lo "santas" que son, mientras que sus maridos son "terribles pecadores". Son mujeres llenas de orgullo que piensan que están haciendo un favor a Dios actuando de esta manera. Aquéllas que son nacidas de Dios, nunca hacen que los demás se sientan inferiores a ellas; por lo contrario, entienden a aquéllos que todavía están en las tinieblas. Comprenden a las demás personas como el mismo Dios las comprende y son pacientes con ellas. Creen que un día esas personas despertarán de su profundo sueño y se darán cuenta de lo perdidas que están y, finalmente, buscarán el nuevo nacimiento.

Notas

_____

_____

_____

_____

_____

_____

_____

_____

_____

Maldición - ¿Producto de la casualidad?

Salió corriendo detrás del pastor aquella noche para decirle lo enojada que estaba. La mujer temblaba mucho mientras le exhortaba a ser más flexible con la congregación. Le explicó que no tenía la intención de irritarlo o criticarlo, sino que solamente estaba preocupada con la iglesia y con su manera tan diferente e inaceptable de tratar con los miembros. Durante muchos años se mostró como una miembro activa, fiel en los diezmos y las ofrendas y, tal vez eso, le había hecho pensar que era su deber manifestar su insatisfacción con el nuevo pastor.

No es muy difícil ver este tipo de cosas en la iglesia en todo el mundo. Siempre hay un grupo de personas que piensa que la iglesia les debe alguna cosa a cambio de sus esfuerzos y fidelidad. Lo que me entristece es que, tal actitud, sólo revela que todo lo que hacen es para el hombre, mientras que Dios, a quien realmente deben su vida, no recibe absolutamente nada, a no ser ese tipo de comportamiento. Si tan sólo supiesen que los pastores, esposas de pastores, obreros y todos aquéllos que pertenecen a la Iglesia del Señor Jesucristo son meros hombres y mujeres que, a pesar de sus debilidades humanas, hacen lo mejor para servirle... Un día, esas personas fueron sacadas del abismo y traídas a la luz, no porque lo merecían, sino porque fueron escogidas. Si Dios las escogió, ¿quiénes somos nosotros para cuestionarlo? Aun así, ese grupo de personas insiste en cuestionar a aquellos a quienes Dios escogió, (del mismo modo como Miriam cuestionó la autoridad de Moisés cuando cometió el error de casarse con una mujer que no pertenecía al pueblo de Israel. Miriam era fiel y muy independiente en su fe, pero cuando habló de Moisés a sus espaldas, Dios se enfureció e, inmediatamente, quedó leprosa. Lee Números 12.

"¿Por qué, pues, no temisteis hablar contra mi siervo, contra Moisés?".

No es que Moisés tuviese el derecho de casarse con una mujer etíope, sino que Dios, que fue Quien le escogió, era Quien debía lidiar con él. ¡Nadie más! Además, ¿qué beneficio puede haber en las palabras de crítica y en las conversaciones inútiles? La verdad es que éstas solamente traen maldición y, tal vez, por eso algunas personas que trabajan tanto en la iglesia acaban teniendo serios problemas en su vida, tales como: una enfermedad que surge de la nada, un problema repentino en el matrimonio, etc. Cosas que jamás pensaría que Dios fuese a permitir que sucediesen; pero, Él permite. Está escrito. Y Dios tuvo cuidado de decir esto al principio, cuando escogió a Abraham. El dijo: *"Bendeciré a los que te bendigan, y al que te maldiga, maldeciré"* (Génesis 12:3).

Ésa es una promesa de Dios para todos aquéllos que Le sirven. Cuando una sierva de Dios se levanta contra otra sierva de Dios, están dejando de servirle y abriendo una puerta para que las maldiciones entren en su vida. Tú puedes ser el miembro o la obrera más fiel de la iglesia, pero si hablas mal de alguien, tu fidelidad no sirve para nada. Es incluso mejor que no presentes tus diezmos y ofrendas, pues Dios, simplemente los rechazará. Él dice:

"Por tanto, si estás presentando tu ofrenda en el altar, y allí te acuerdas que tu hermano tiene algo contra ti, deja tu ofrenda allí delante del altar, y ve, reconcíliate primero con tu hermano, y entonces ven y presenta tu ofrenda."

Mateo 5:23,24

¿Qué más puedo decir? No atraigas la maldición a tu vida. Reprende todo pensamiento maligno, presenta tus preocupaciones a Dios y deja que Él decida lo que necesita ser cambiado y de qué manera.

Notas

_____

_____

_____

_____

La mujer agraciada

$\mathcal{S}$ ales a dar una vuelta después de una larga jornada de trabajo pensando que te relajarás después de un día tan agotador, hasta que eres maltratada por la vendedora de una tienda, por la persona que está conduciendo detrás de ti o por aquel miembro de la iglesia a quien no le gustó que te hayas puesto en su sitio... Es frustrante tener que vivir con tanta grosería hoy en día, pero es como el Señor Jesús dice respecto al final de los tiempos, *"el amor de muchos se enfriará"* (Mateo 24:12). ¡Esto es sólo el comienzo de tiempos peores!

Para algunas personas, amor es solamente una palabra que aparece en las canciones o un sentimiento de fantasía capaz de llevar a muchas personas a la muerte. Sin embargo, para aquéllas que son de Dios, es verdadero y fácilmente percibido por todos los que están a su alrededor, cristianos o no. Su amor no depende de las circunstancias: Es incondicional.

Existen millones y millones de mujeres en este mundo y, entre ellas, existen aquéllas que son agraciadas mujeres de Dios. Tienen ese amor dentro de ellas, que las impulsa a servir, agradar a los demás incluso cuando saben que nunca serán retribuidas por lo que hicieron. La Biblia dice que la mujer agraciada alcanza la honra (Proverbios 11:16); en otras palabras, aunque atraviese por momentos de tribulación y malentendidos, su honra nunca es tocada.

También existen algunas mujeres que no tienen el menor interés en ser agraciadas con otras personas y siempre se ponen en situaciones vergonzosas. A veces, ponen incluso a sus maridos e hijos en tales circunstancias. El hablar mal de los otros, las críticas, las groserías, la falta de paciencia, el nerviosismo y aquella típica cara enfadada, son apenas unos ejemplos que dejan claro por qué esas mujeres nunca son honradas. Algunas dicen que merecen el respeto y la honra de sus hijos, amigos y familiares debido a su duro trabajo y a sus muchos sacrificios; pero, ¿cómo podrán respetar a alguien que habla mal de los demás y practica lo malo?

Escucho a muchas mujeres hablando sobre la Biblia y sobre Dios, pero las únicas que verdaderamente me bendicen son aquéllas que viven la Biblia y a Dios en sus vidas. Estas mujeres son especiales, dignas de honra y respeto. Lo importante no es lo que tú predicas, sino lo que vives. Si te consideras una mujer de Dios y te permites ser grosera, chismosa y desconsiderada con los demás, es que todavía no conoces al Dios a quien tú dices pertenecer. Dios no es sólo amor – Él es el Verdadero Amor. Es incondicional, nunca cambia. Las personas pueden rechazarlo y decir que no creen en Él, pero, aun así, las ama. ¿Qué tipo de amor has dado a los demás últimamente? ¿El amor que sólo está presente en discursos y canciones o aquel amor que da sin esperar nada a cambio?

La mujer agraciada es cordial, educada, tiene buenas formas, es civilizada, agradable, amigable, sociable, cariñosa, generosa, buena, misericordiosa, simpática, humana, caritativa y comprensiva. Todos estos son sinónimos de ser agraciada. Piensa en eso, pues tal vez éste sea el pedacito que te está faltando para la conversión de tu marido, de tus padres, amigos, hermanos o hijos.

Notas

_____

_____

_____

_____

_____

_____

_____

_____

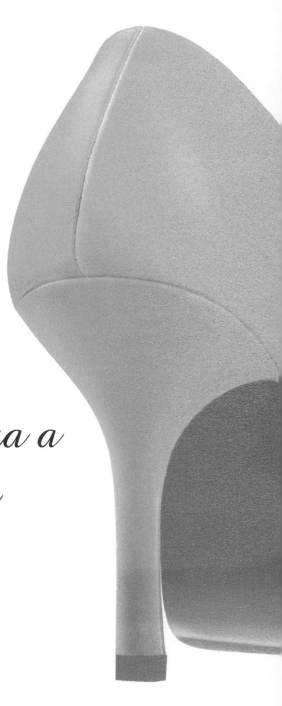

Parte 2

De soltera a la vida de casada

Mi juventud

S er joven y llena de vida puede ser una encerrona. A mí, por ejemplo, me parecía que tenía todo el tiempo del mundo para hacer lo que quisiera, ser quien desease y disfrutar todo lo que pudiese. Disfrutar del misterioso futuro que parecía una aventura. Pero toda esa aparente fuerza y esperanza, ocasionalmente me debilitaban. A veces, me sentía terriblemente sola y no tenía el más mínimo deseo de salir de mi habitación.

Mi familia tenía la impresión de que todo estaba bajo control. Mis deseos parecían ser los adecuados, pero solamente Dios sabía lo que pasaba en mi corazón. Nadie parecía ser consciente de mis luchas para librarme de todas aquellas ideas indeseables que se habían alojado en mi mente. Iba bien en el colegio y no andaba con malas compañías; pero, en mi mente... sí andaba. Quería ser como ellos, tener lo que tenían, toda la alegría que decían poseer cuando salían aquellas noches de viernes. En lo más íntimo de mi ser, quería también tener ese estilo de vida y, aunque supiese que estaba mal, me parecía que tenía el derecho de disfrutar de mi juventud, de la misma forma que los demás jóvenes. Las luces del mundo eran extremadamente fascinantes ante mis ojos y quería formar parte de todo aquello.

Solamente después de tener un encuentro con Dios fue cuando finalmente me di cuenta de que todas aquellas luces brillantes no eran tan fascinantes como parecían. Empecé a ver el mundo como realmente es: vacío. Los videos de la MTV ya no tenían gracia, las bellas actrices ya no eran tan encantadoras, la música dejó de ser el aire que yo respiraba. Parecía que me había mudado a otro universo. El mundo loco del que formaba parte pasó a no tener ningún sentido para mí. Las personas que me conocían del pasado me veían como a una fanática, pues los placeres de este mundo ya no tenían ninguna gracia. De repente, mi walkman no tenía ningún sentido. Me echaba en la cama y simplemente me dormía. Ya no me quedaba escuchando música hasta el amanecer. Era joven y, aun así, diferente de todos los demás jóvenes. Ellos me criticaban y, a cambio, yo oraba por ellos.

Hoy, muchos años después, ya no soy una adolescente, pero veo jóvenes en todos los lugares viviendo de la misma forma como vivía yo, guiados por la música y por la moda. Tienen la misma visión de la vida que yo solía tener – disfrutar mientras se es joven y lleno de vida. No se dan cuenta de que toda esa "diversión" puede traer consecuencias terribles y llenas de tristeza.

Fui bendecida por haber encontrado a Dios antes de haber cometido cualquier gran error en mi vida; no porque sea afortunada sino porque oí Su voz cuando Él habló conmigo. Dios habla en todos los cultos de la iglesia, en cada canción, e incluso, a través de la experiencia de otras personas. Si tú quieres, puedes oírlo también. ¡Solamente vigila para que mañana no sea demasiado tarde!

Notas

_____

_____

_____

_____

_____

_____

_____

_____

_____

_____

Joven y bendecida

*I*r al colegio no fue una tarea fácil ni para mí ni para mi hermana. No hablábamos la lengua nativa y los demás niños nos despreciaban debido a nuestro origen. Sólo podíamos esperar llegar a casa y estar en compañía la una de la otra, además de tener a nuestra querida madre para cuidarnos. Ella hacía que todo pareciese más fácil... Cuando nos acordamos de aquellos días hasta sentimos nostalgia.

Desde que éramos muy pequeñas nos enseñaba que habíamos nacido para glorificar a Nuestro Señor y, por eso, seríamos diferentes a todos los demás. Y de hecho, crecimos pensando así. Mientras que todos en el colegio odiaban y despreciaban a sus padres, nosotras amábamos y honrábamos a los nuestros.

Ese tipo de comportamiento es el esperado en los jóvenes que no tienen fe en Dios, pero nunca en los jóvenes cristianos. Sin embargo, existen aquellos que están siempre ocupados con muchas actividades y demuestran tener gran respeto hacia los pastores y obreros, pero no honran a su padre y a su madre. Dios fue muy claro cuando dijo: *"Honra a tu padre y a tu madre, para que tus días sean prolongados en la tierra que el Señor tu Dios te da"* (Éxodo 20:12). De acuerdo con ese pasaje, que es uno de los diez mandamientos, podemos concluir que si tú no honras a tus padres, ¿cómo podrás honrar a Dios que es tu Padre espiritual?

Hoy en día, hay muchos jóvenes sufriendo con todo tipo de problemas. No entienden por qué están tan deprimidos y tienen tanta rabia del mundo y de todos los que están en él; muchos mueren aún jóvenes y llenos de vida. ¿Por qué? Vamos a leer nuevamente el versículo de arriba y analizarlo en sentido contrario: "Deshonra a tu padre y a tu madre, para que sean cortos tus días en la tierra que el Señor, tu Dios, no te dará". ¿Lo has entendido? Las cadenas de oración y todos los propósitos que hagas para Dios serán en vano si no practicas Sus mandamientos.

Muchas madres han venido hasta nosotras para pedirnos consejos sobre cómo tratar con sus hijas adolescentes, que son muy activas en la iglesia, pero inactivas en casa. Se preocupan tanto con sus hijos y hacen tantos sacrificios por ellos, pero lo que reciben a cambio es una mala cara, críticas, desprecio y una mirada de vergüenza al final del día. Las madres que van a la iglesia para orar por sus familias merecen toda la honra y el respeto de sus hijos. Ellos no estarían donde están hoy si no fuese por sus madres, las cuales, muchas veces, perdieron para que sus hijos pudiesen ganar, sufrieron para que sus hijos no sufriesen, lloraron para que sus hijos sonrieran... Los jóvenes que verdaderamente honran a sus padres serán siempre bendecidos.

No importa si tus padres van o no a la iglesia, si son malos o buenos, si son dignos o no – son tus padres y esto es suficiente para que sean respetados. En el colegio muchas niñas se burlaban de nosotras por querer tanto a nuestros padres. Hoy, esas mismas niñas son mujeres infelices que, probablemente, son odiadas por sus propios hijos. ¿Y nosotras? Bien, ¡nosotras crecimos para ser mujeres felices de verdad!

Notas

_____

_____

_____

_____

_____

_____

_____

_____

_____

¿Dónde me equivoqué?

$\mathcal{S}$ e trata de aquella vieja historia: El joven conoce a una chica y ésta se enamora de él y, para probar que su amor es verdadero, tiene que acostarse con él. Por miedo a perder al joven de sus sueños, se entrega y después de algún tiempo, la cambia por otra. Y aquella que antes era simplemente una joven, ahora es una futura madre.

Durante algún tiempo evita relacionarse con otros jóvenes, pues está demasiado herida; pero pasados aquellos momentos, nuevamente se enamora y, esta vez, se jura a sí misma que no lo volverá a perder. Entonces, sucede los mismo de nuevo: El mundo se desmorona sobre su cabeza y acaba sola una vez más. Entonces, se pregunta: "¿Qué van a pensar mis amigas de mí?" o "¿qué dirá mi familia ahora? ¡Tiene que haber algo malo en mí! Mientras que ella se entregue a cualquiera que aparezca en su camino, siempre habrá algo malo. Su vida íntima, que debería ser preservada, ¡pasó a estar a disposición de cualquiera que llama a su puerta!

El sexo es lo más íntimo y personal en una relación entre dos personas y, por eso, no debe practicarse con cualquier hombre o novio. El acto sexual es la alianza que hace que un hombre y una mujer sean un solo cuerpo después del matrimonio. Cuando una joven intenta establecer esta alianza con alguien que no es su marido, además de convertirse en un solo cuerpo, terminan separados debido a la insensatez y a la carnalidad de tal relación.

Muchas mujeres no se dan cuenta de la importancia del sexo después del matrimonio. Piensan que se trata simplemente de un deseo carnal, demasiado fuerte como para ser controlado. Pero, en realidad, lo que su carne desea no es el sexo en sí – lo que más quiere es tener al hombre de sus sueños a cualquier precio. El sexo es simplemente un arma.

Hoy en día, el sexo está en todas partes: en las películas, los programas de televisión, etc. Todo el mundo lo hace, todo el mundo comenta, todo el mundo canta sobre el sexo; pero pocos entienden su verdadero significado y valor, pues fue creado por el Propio Dios. Él creó las relaciones sexuales para que el hombre y la mujer pudieran convertirse en un solo cuerpo para el resto de sus vidas, de la misma forma como el Padre, el Hijo y el Espíritu Santo son Uno sólo. Esta unión es grandiosa y Dios nos dio el privilegio de disfrutar de una unión semejante a través de este compromiso verdadero llamado matrimonio.

La joven hasta puede soñar con su príncipe, pero si no se comporta como una princesa, ¿cómo podrá encontrarlo? Una princesa, por lo menos antiguamente, se guardaba para aquél con quien iba a casarse, quien generalmente, era alguien escogido por sus padres. Crecía aprendiendo todo respecto a cómo ser una buena esposa y madre. Cuando llegaba el tan esperado día de su boda, se vestía de blanco – no porque fuera costumbre – sino porque representaba su pureza. Lo mismo debe suceder con la mujer que teme al Señor. Debe dedicar su tiempo preparándose para su futuro marido, aquél que Dios escogió para ella. El día de su boda es definitivamente el día más especial de su vida, no simplemente por marcar el inicio de un compromiso para toda la vida, sino también porque ¡se convertirá en un solo cuerpo con su príncipe aquella misma noche!

Cada vez que tú seas presionada para mantener relaciones sexuales con tu novio, acuérdate: Si él te está presionando es porque no es la persona adecuada para ti; si lo fuese, ¡aguardaría a esta ocasión tan especial para cuando se convirtiesen en un solo cuerpo!

Notas

Sola y salvaje

$\mathcal{D}$ ios escogió a Sansón desde su nacimiento; lo santificó y lo hizo el hombre más fuerte de su época. Aun así, Sansón no estuvo de acuerdo en vivir su vida para Dios. Quería divertirse y tener todas las mujeres que pudiese, a fin de cuentas, era un joven guapo y muy fuerte. Entonces empezó a jugar con su propia vida, como un salvaje que no necesitaba de nada ni de nadie, excepto de su fuerza. Infelizmente, su fin fue trágico y vergonzoso. Sólo obtuvo la victoria sobre sus enemigos cuando, ya en el fondo del pozo, reconoció que necesitaba a Dios.

¿Cuántas jóvenes no piensan exactamente de la misma manera? Quieren libertad pero no desean asumir las consecuencias. Quieren divertirse pero no están dispuestas a pagar su precio. Son como niñas mimadas que tienen todo lo que desean, pero nunca están satisfechas. Son adolescentes que viven como si ya fuesen adultas, aun así, viven en casa de sus padres, son mantenidas por ellos, etc. ¡Quieren independencia, pero dependen de los padres!

Dios escogió a Sansón, pero no pudo hacer absolutamente nada para ayudarlo, pues había decidido gobernar su propia vida. En su condición de Padre, Dios no soporta vernos envueltas en problemas; pero ¿qué puede hacer Él si nosotras escogemos seguir nuestros propios instintos? ¿Por qué culpar a Dios de nuestra falta de sumisión? ¿Quieres ser libre? Entonces ¡sé libre! Libre para decidir lo que quieras hacer en tu vida, sea lo correcto o equivocado, pero ¡no culpes a Dios de las consecuencias de tus actos! Francamente, si prefieres quedarte sola, ¿por qué no vivir también de manera salvaje? Solamente que debes estar preparada para asumir el resultado de tus propias elecciones e ideas independientes. Olvídate de Dios, al fin y al cabo, tú escogiste no depender de Él.

Ahora bien, si estás pensando pedir ayuda a Dios para conseguir alguna cosa, sea lo que sea, sé consciente de que, actuando así, te estarás poniendo en la condición de dependiente de Dios y por eso, debes dejar que Él controle tu vida. Como alguien que depende de Dios, lo necesitas, pues sabes que no puedes vencer sola.

Algunas personas dicen: "Yo quiero mi libertad... Quiero hacer lo que me apetezca sin que nadie me controle... Quiero divertirme mientras soy joven y, cuando envejezca, me haré cristiana..." Esas personas todavía están ciegas por la diversión temporal del mundo y frecuentemente culpan a Dios de todas las tragedias que acontecen en su vida o en la vida de personas a miles de kilómetros de distancia. ¡Seamos realistas! ¡O somos independientes de Dios y dependientes de nuestro pecado, o dependientes de Dios e independientes de nuestro pecado!

"Sucederá en aquel día que el remanente de Israel y los de la casa de Jacob que hayan escapado, no volverán a apoyarse más en el que los hirió, sino que en verdad se apoyarán en el Señor, el Santo de Israel" (Isaías 10:20). Cuando abandones tu propia voluntad para hacer la voluntad de Dios, estarás tranquila respecto a tu futuro, aunque los problemas se levanten contra ti, pues tendrás la certeza de que Dios está en el control y *"que para los que aman a Dios, todas las cosas cooperan para bien, esto es, para los que son llamados conforme a su propósito"* (Romanos 8:28).

Notas

_____

_____

_____

_____

_____

_____

_____

¿Red o trampa?

Ahí está él – el ordenador. Mirando hacia ti y prácticamente implorando para que lo enciendas y comiences a navegar por Internet. Ah, esa red... ¡Considerada el universo de la información y el lugar más amplio donde estar! No importa lo que quieras ver o aprender, ¡basta con teclear algunas palabras y listo! Y si te estás sintiendo sola, la red también te da la opción de conocer a otros solitarios por el mundo... ¿Hasta qué punto esto es bueno? ¿Qué son capaces de hacer las personas a través de Internet?

Imagina que estás andando por una ciudad desconocida y, de repente, empiezas a hablar con extraños. ¡Así estás tú en Internet! De alguna forma, puede ser muy útil, pero, sinceramente, ha traído más perjuicios que beneficios. Hoy en día, las personas no consiguen vivir sin ella – ¿qué extraño, no? Hace unos 15 años vivíamos muy bien sin ella.

Parece más un vicio que cualquier otra cosa. Basta con tener un tiempo libre e inmediatamente aparece en tu mente la siguiente pregunta: "¿Por qué no navegar por Internet? ¿Por qué no acceder a los Chat? ¿Por qué leer la Biblia cuando puedo acceder a una infinidad de información nueva? ¿Por qué orar si puedo ver y conversar con personas del otro lado del mundo instantáneamente?" Después te preguntas por qué no consigues crecer espiritualmente y ser feliz de verdad... ¿Cómo puede ser esto posible? ¡Estás enganchada a la red! Enganchada en conversaciones con personas extrañas que, la mayoría de las veces, son deshonestas con respecto a sus verdaderas identidades.

Muchas jóvenes y mujeres sinceras, que tienen el deseo de casarse con un hombre de Dios, han sacado tiempo para invertir en los sitios de Internet de los más diversos tipos de comunidades. ¿Cómo pueden ser escogidas para servir a Dios si están tan envueltas con las cosas de este mundo?

Una de las cosas que me ayudó a acercarme a Dios fue el hecho de que mi vida era muy sencilla. En aquella época, me parecía que mi vida no podía ser más aburrida. No tenía amigos, novio, ni diversión. Era sólo colegio, casa e iglesia. Pasaba la mayor parte del tiempo estudiando, jugando con mi hermana y leyendo la Biblia. A veces, era criticada por no salir como las otras jóvenes de mi edad. Llegué a ser criticada incluso, por una pariente próxima, a quien le parecía que me estaba haciendo un favor al decirme tales cosas. Sin embargo, le doy gracias a Dios por no haber sido nunca popular y por haber tenido una vida muy sencilla, porque esto me condujo directamente a Él.

Creo que la mayoría de los jóvenes que forman parte de esas comunidades internautas no se dan cuenta de la trampa en la que se están metiendo. Comprende que si el diablo consigue mantenerte ocupada con cualquier cosa que no sea tu vida espiritual, nunca madurarás. Y es, exactamente por eso, por lo que a veces, te sientes tan débil. Algunas jóvenes están enganchadas a determinadas páginas de Internet que son visiblemente condenables ¡y ellas lo saben! Por más que intenten parar, no lo consiguen – ya se convirtió en un vicio. Cuánto más ven, más quieren descubrir... El círculo nunca se termina.

¡Invierte en aquello que es bueno! Foros en Internet y diferentes asociaciones son como un agujero profundo para que caigas de cabeza. Preserva tu vida e invierte en cosas que van a conducirte a la realización de tus sueños. Lee tu Biblia, ora y asume un compromiso verdadero con Dios, que es el Único Amigo Verdadero. ¿Por qué buscar el amor y la amistad en un mundo de engaño y mentiras llamado Internet? ¡Tengo la certeza de que vales mucho más que eso!

Notas

_____

_____

_____

_____

¿Joven fracasada?

*N*o es que no tuviese sueños; en realidad los tuvo e incluso luchó por muchos de ellos; pero, aun así, debido a las muchas distracciones que la cercaban, acabó desanimándose y sus sueños se fueron río abajo. Hoy esa joven es una fracasada, aunque no lo admita. Piensa que es el centro de atención, con su belleza fascinante y la admiración de las personas que la rodean... Pero hay momentos, que sólo ella conoce, en los que se siente vacía y triste, como si nada más valiese la pena.

Ésta ha sido la vida de muchas jóvenes en la iglesia. Tienen tanto potencial y talento que cualquier persona diría que lo tienen todo para ser exitosas con Dios a su lado; pero en realidad, todo lo que les rodea es el mundo y sus muchos atractivos. Diversión es todo lo que quieren y lo que buscan en esta vida. Pierden el tiempo con cosas que no ayudan en nada a su vida espiritual, tales como: fiestas, cine, música, Internet, juegos y novios. Tal vez sea un poco brusco decir que son "fracasadas", pero piénsalo bien: Si tú pierdes la mayor parte de tu tiempo con cosas vanas ¿qué puede decirse a su favor? ¿Piensas que estás en el camino del éxito?

El éxito se conquista. ¡No cae del cielo! Lo que somos hoy es el resultado de lo que fuimos e hicimos en el pasado. Por eso, si lo que fuimos e hicimos fue vano, sólo podemos esperar una vida vacía y triste: *"Alégrate, joven, en tu mocedad, y tome placer tu corazón en los días de tu juventud. Sigue los impulsos de tu corazón y el gusto de tus ojos; mas debes saber que por todas estas cosas, Dios te traerá a juicio. Por tanto, aparta de tu corazón la congoja y aleja el sufrimiento de tu cuerpo, porque la mocedad y la primavera de la vida son vanidad. Acuérdate, pues, de tu Creador en los días de tu juventud, antes que vengan los días malos y se acerquen los años en que digas: No tengo en ellos placer"* (Eclesiastés 11:9,10; 12:1).

La adolescencia es como un colegio donde aprendemos lo que es bueno y lo que es malo y nos preparamos para la vida adulta. En cambio, si piensas como la mayoría de las jóvenes, entonces usarás tu adolescencia para divertirte, y, más tarde, cuando seas adulta, serás exactamente igual a otras adultas: triste, sola, llena de sentimientos de culpa por el pasado y con la sensación de haber desperdiciado toda tu vida.

Alégrate ahora mientras eres joven y puedes aprender fácilmente. Aprovecha la oportunidad para construir un buen comienzo, para que tanto en el medio como en el final de tu vida puedas cosechar buenos frutos. Planea el futuro con sabiduría y no desperdicies el tiempo y tu energía en cosas que no mejoran para nada tu vida. Alégrate en tu juventud, invierte en tu vida espiritual, prepárate para el futuro y para cuando vengan las dificultades. Prepárate para una relación que durará toda la vida. Hay tanto en lo que invertir mientras se es joven y tanto que conquistar para el resto de la vida ¿Por qué desperdiciar esta oportunidad? Piénsalo bien. Pero si aun así, decides desperdiciar tu juventud, acuérdate de culparte a ti misma por tus fracasos, pues fuiste tú quien decidió seguir a la multitud buscando el camino más fácil y la diversión temporal.

Notas

Fea, ¿yo?

$\mathcal{U}$ no de estos días estaba en el tren y no pude dejar de fijarme en una joven que estaba sentada frente a mí, llevaba las uñas, la ropa y el pelo completamente negro, pero su piel era blanca como la nieve y la raíz de sus cabellos revelaba su color claro natural. Muchas personas también la observaban por su estilo rebelde y diferente de vestir – lo que, probablemente, esperaba. Aun así, en mi opinión, no dejaba de ser una joven que, simplemente, no conoce la belleza y el potencial que tiene.

Muchas mujeres se miran en el espejo y desean saber por qué no son tan bonitas como las demás. Rechazan su propia apariencia, su andar, su voz, la forma de su cuerpo, su pelo, su personalidad; y empiezan a vestirse y comportarse de manera agresiva y descuidada. Es posible obtener más información sobre ese cambio de comportamiento a través de libros y conferencias de autoayuda; sin embargo, el conocimiento intelectual en sí ¡no cambia nada! Las personas saben que tienen que amarse a sí mismas para tener una vida satisfactoria; quieren alcanzarla, pero no lo consiguen debido a un conflicto interno y continuo entre la verdad y la mentira. Ahora bien, ¿Alguien podrá permitir que la mentira someta a la verdad? Parece ridículo, ¡pero todos actuamos así! Fíjate que cada vez que creemos en un pensamiento que dice que no somos capaces, creemos en una mentira. Si tú cuestionas los motivos de ese pensamiento, te darás cuenta de que no tiene sentido. ¿Por qué no soy capaz? ¿Por qué no hice mi trabajo tan bien como cualquier otro?, ¿por qué soy fea, por causa de mis pies?, ¿por qué soy inferior a mi amiga, por mi falta de formación académica? ¡De ninguna manera! La verdad es que seremos inferiores, feas e incompetentes, si queremos. No tenemos esos adjetivos por lo que tenemos o dejamos de tener, por lo que somos o dejamos de ser, sino porque nos vemos así. Entonces, ¿por qué creer en la mentira? Tal vez alguien muy cercano te haya dicho algo que acabó destruyendo tu autoestima. Ahora bien, pregúntate a ti misma: "¿Cuál fue la base de ese comentario? ¿Por qué lo hizo? ¿Se trata de un hecho o de una palabra dicha sin pensar?" Probablemente llegarás a la conclusión de que no fue nada más que un malentendido.

Si te cuestionas esas ideas malas sobre ti misma, te darás cuenta de lo tonta que fuiste al darles crédito. Empezarás a valorarte más. Basta con mirar a tu alrededor y verás que, entre millones de personas, ¡no hay nadie como tú! Tu estructura física tal vez necesite ser perfeccionada, pero esa necesidad existe simplemente porque no has cuidado de ella como deberías. Cuando empieces a amar y a cuidar tu cuerpo ¡verás lo bonito que es!

Las personas solamente consiguen cuidar lo que les gusta. Si te amas, cuidarás bien de ti misma, de tu salud, de tu cuerpo, de tu apariencia e, incluso, de la casa donde vives. Cuando te mires en el espejo y te guste lo que ves, las personas te mirarán y también les gustará lo que ven, *"pues como piensa dentro de sí, así es"* (Proverbios 23:7).

Notas

_____

_____

_____

_____

_____

_____

_____

_____

_____

_____

La mujer que hay en ti

$\mathcal{C}$on el paso del tiempo, el concepto acerca de la mujer, lo que representa y lo que puede hacer en este mundo, ha cambiado tanto que hasta me quedo asustada. Muchos hombres empezaron a mirarnos de manera diferente, como si sirviésemos apenas como un objeto de uso temporal mientras somos jóvenes y bellas. Hace poco tiempo se miraba a las mujeres con respeto y honra. Eran tratadas con reverencia y discreción y la honra de un hombre era casarse con una dama. Sin embargo, hoy en día, a la mayoría de los hombres no les importa si una mujer está de pie en el metro o cargando miles de bolsas. Muchos abandonan a sus mujeres, dejando los hijos para que los cuiden, como si ellas no tuviesen ninguna utilidad para ellos.

Esto no es lo que Dios tenía en Su mente cuando creó a Eva. La formó del cuerpo de Adán, como si estuviese diciendo: "Es parte de tu cuerpo, cuídala como si te cuidaras a ti mismo. Fue sacada de tu costado, no de tu pie o de tu cabeza; por lo tanto, será tu compañera y no tu alfombra o tu jefe". Dios la hizo compatible con el hombre, pues necesitaba una auxiliadora. Si Adán hubiese podido hacer todo solo, Dios no la habría creado.

Dios creó a la mujer para vivir eternamente con el hombre, siendo su auxiliadora y su mejor amiga. La hizo bella, comprensiva y graciosa; que con un simple beso se derrita en los brazos del hombre y olvide cualquier malentendido. Un ser increíble, delicado y afectuoso. Si ella conociese a la mujer que hay dentro de sí...

El problema es que la mayoría de las mujeres no saben que fueron creadas de una manera tan especial, por eso acaban destruyendo su imagen con el afán de llamar la atención de los hombres. Hacen cualquier cosa, lo que sea necesario, para volverse atractivas. Cuanto más ceñida es su ropa, más grandes quedan sus senos; cuanta menos ropa llevan, más llaman la atención de los hombres... Piensan que pueden tener al hombre de sus sueños actuando así. ¡Qué equivocadas están! De esta forma, están cada vez más lejos de encontrar un hombre que las honre y respete. El hombre fue creado para ser un conquistador y todo lo que es muy fácil de conquistar, simplemente, para él, no merece la pena tenerlo. Cuánto más difícil sea una mujer, más la deseará; cuánto menos vea de su cuerpo, más imaginará lo atractiva que debe ser; cuánto más reservada sea, más interesante la encontrará.

Piensa conmigo: Si la buena apariencia y la sensualidad fuese suficiente, ¿por qué hay tantas mujeres bellas y sensuales que son tan infelices en la vida sentimental? Tienen dinero, buena apariencia, una carrera, popularidad, se relacionan con las personas adecuadas... pero, aun así, ¡no consiguen tener un marido permanente!

Hablando de la mujer, Aquél que está especializado en el comportamiento femenino enseña: *"...sino que sea el yo interno, con el adorno incorruptible de un espíritu tierno y sereno, lo cual es precioso delante de Dios"* (1 Pedro 3:4) y *"Como anillo de oro en el hocico de un cerdo es la mujer hermosa que carece de discreción"* (Proverbios 11:22). ¡Ahora es cuestión de querer encontrar esa mujer que existe en ti o no!

Notas

_____

_____

_____

_____

_____

_____

_____

El templo de la belleza

$\mathcal{N}$osotras mujeres, somos bonitas en todos los aspectos. Nuestra figura física es única; aunque intentemos esconderla perdiendo un kilito aquí y otro allí, ¡no seríamos mujeres si no fuese por nuestras curvas! Tenemos características exclusivas que atraen a los hombres: nuestros labios suaves, piel lisa, manos y pies delicados y aquella mirada de ángel...

Estoy segura de que muchas de nosotras no nos damos cuenta de lo bonitas que somos... Nos favorecen casi todos los colores, nuestro pelo puede estar recogido o suelto pero, de cualquier manera, llamamos la atención; la mayoría de la ropa nos queda bien – de ahí la razón de sentir tanto placer en dar una vueltecita por el centro comercial de vez en cuando. No necesitamos ser ninguna Britney Spears, ni enseñar más de lo necesario para ser admiradas.

Nuestra belleza puede ser una trampa del diablo para los hombres. Algunos dejan de seguir a Dios simplemente por no resistirse a un pensamiento en relación a una determinada mujer. Nuestra ropa no debe ser una herramienta para destruir hombres. Nuestro cuerpo es el templo del Espíritu Santo y, por eso, debemos asegurarnos de que sea usado para la gloria de Dios y no para Su vergüenza. Entiendo que a veces resulta difícil distinguir entre lo que es bueno y lo que es malo, a fin de cuentas, la moda cambia frecuentemente y, cuando no participamos de ella, nos sentimos anticuadas y hasta un poco inferiores.

A veces, la ropa que usamos no es indiscreta, pero debido a los kilitos de más adquiridos por las tentaciones de los postres y los aperitivos, acabamos usando algo muy ajustado y, consecuentemente, indiscreto. Tenemos que valorar lo que aquel pantalón vaquero apretado o demasiado bajo puede hacer en la imaginación de un hombre. ¿Por qué permitir que la belleza dada por Dios trabaje contra Él? Seamos sabias y vistámonos con éxito, ¡glorificando a nuestro Señor e inspirando respeto como mujeres de Dios!

"Pero yo os digo que todo el que mira a una mujer para codiciarla ya cometió adulterio con ella en su corazón" (Mateo 5:28).

Notas

_____

_____

_____

_____

_____

_____

_____

_____

_____

Marilyn Monroe

ℰ lla tenía problemas para bajar la escalera. Llevaba muchos libros, pero la falda corta y el tacón alto lo dificultaban todavía más; de repente, se cayó, y todas aquellas horas frente al espejo por la mañana se fueron río abajo. ¡La blusita escotada casi desapareció y la minifalda se subió hacia arriba!

¿Ya te diste cuenta del trato indiferente que reciben las mujeres últimamente? Antiguamente, los hombres se quitaban sus sombreros y las cortejaban, eran alabadas y respetadas. ¡Que las mujeres realizaran trabajos pesados era, simplemente, inaceptable! Hoy en día, prácticamente tenemos que implorar que un alma caritativa nos ofrezca alguna ayuda. Generalmente, somos nosotras quienes tenemos que quedarnos de pie en el autobús, pues la mayoría de los hombres no encuentran ningún motivo para ceder su lugar. Hay mujeres que son agredidas tan sólo por alguna cosa que dijeron, mientras que, en el pasado, pegar a una mujer era algo raro. ¿Qué fue lo que hizo que la mujer perdiese su valor con el paso del tiempo? ¿Qué fue lo que cambió la opinión de los hombres? Es una realidad vergonzosa, pero es necesario hablar, escribir, enseñar a las chicas, explicar en los colegios: Nosotras, mujeres, somos las culpables de nuestra pérdida de valor. Nosotras creamos este escenario.

Todo comenzó con la idea de que éramos demasiado bonitas para quedarnos escondidas detrás de la ropa. Nuestras formas y belleza hacían que tanto viejos y jóvenes se sintieran atraídos y contentos; cuánto más veían, más querían ver. Cuánta menos ropa llevábamos, más bonitas estábamos. Las miradas y la atención empezaron a concentrarse en nosotras – ¿y a qué mujer no le gusta eso? Todo lo que queremos es atención, alabanza, reconocimiento y ser consideradas bonitas. Fue así como Marilyn Monroe se convirtió en una estrella. Ella no tenía talento para actuar o cantar, pero se convirtió en una estrella simplemente porque estaba dispuesta a enseñar más que la mayoría de las mujeres de su época. Los hombres la adoraban, las mujeres la envidiaban, la prensa la convirtió en famosa, los cantantes escribían canciones sobre ella y, aun así, su fin fue triste y solitario. Debe haber sido la mujer más triste de su época, pues ofreció tanto de sí misma que todo lo que ganó a cambio fue la sensación de haber sido utilizada todos los días de su vida. La usaron y abusaron de ella. Todo lo que Marilyn quería era atención y alguien que la amase – lo que incluso consiguió, pero solamente por su cuerpo.

Existen millares de Marilyn Monroe esparcidas por el mundo, intentado hacer todo lo que pueden para convertirse en famosas y perfectas a cualquier precio... Pero, ¿valdrá la pena exponerse tanto a cambio de éxito y popularidad? ¿Estará la moda sobre estimulando nuestra feminidad y conduciéndonos a la destrucción? ¿Cómo podemos reconquistar nuestro respeto?

Notas

_____

_____

_____

_____

_____

_____

_____

_____

_____

_____

_____

La primera impresión

ué es lo primero en que te fijas de una mujer? ¿Sus actitudes, la forma de hablar, de andar...? Probablemente, si lo piensas bien, la primera cosa en la que te fijas de una mujer es en la forma en cómo se viste, es decir, su pelo, su ropa, su maquillaje y demás accesorios. Parece superficial pensar de esa manera, pero ¿no es eso lo que sucede normalmente? En realidad, antes de conocer a alguien de verdad, ¡es imposible fijarse en otra cosa! Ahora bien, yo pregunto: ¿Cuál es la primera impresión que tú has dado a las personas?

Si alguien dice que la belleza verdadera se encuentra en su interior, está totalmente en lo cierto. De esta forma, ¡la belleza interior debe revelarse en tu exterior! Cuando tú te amas, cuidas de tu cuerpo y tu apariencia, esto no tiene nada que ver con la vanidad – que es una manera equivocada de cuidarse a uno mismo, yendo al extremo y cuidando más la apariencia que cualquier otra cosa en la vida. La vanidad está equivocada, pero el amor propio, es decir, el cuidado por estar bonita para tu marido o para ti misma, ¡es tu belleza interior reflejándose en tu exterior!

Muchas mujeres de Dios pierden la oportunidad de conquistar al hombre de sus sueños porque no les parece que sea importante cuidar su apariencia. Están siempre tan ocupadas con el trabajo o con otras cosas de la vida que no les queda tiempo para maquillarse o ponerse una ropa especial cada día. Piensa conmigo: ¿Qué pensará él si tu exterior no refleja tu belleza interior? Él todavía no te conoce como para apreciar lo que eres. ¿Cómo esperar que le gustes a través de una fe ciega? ¡Usemos la fe inteligente!

Muchas mujeres permiten que sus maridos se distraigan mirando bellas mujeres porque piensan que, después del matrimonio,

¡la apariencia física ya no es importante! Con esta actitud, están abriendo el camino a la infidelidad del marido. Casarse es sólo el primer paso; permanecer casada es la tarea más difícil y también más importante – que muchas mujeres no han conseguido realizar. Por ello, ¡después del matrimonio es cuando tu apariencia debe ser todavía mejor! Si nosotras nos fijamos en las mujeres atractivas ¡imagínate los hombres! Tu marido tiene que pensar así: "¿Por qué voy a querer un Volkswagen si tengo un Mercedes en casa?" ¿Lo has entendido?

¿Estás haciéndote mayor? ¡No dejes que la edad esconda tu belleza! Del mismo modo que aumenta la edad, permite que tu belleza también aumente. No tienes necesidad de cirugía plástica, basta un poco de creatividad y valor para invertir en tu apariencia. Sólo parecerás vieja si quieres y, aunque las arrugas aparezcan, no debes dejar que afecten a tu apariencia.

La apariencia es la primera impresión - ¡y la que queda! Entonces ¿por qué no cuidarla y mejorarla? Es una buena manera de permitir que las personas vean tu interior: tu atención al detalle a la hora de escoger la combinación de los accesorios, en tu personalidad divertida y amorosa con la elección de colores vivos en tu vestir, el nivel de tu autoestima por el tipo de trajes que usas, la juventud de tu espíritu por la elección de ropa moderna, o tu buen gusto en el maquillaje, y así sucesivamente. Reserva un tiempo para mejorar tu apariencia y verás como tu marido tendrá ojos solamente para ti. Tus hijos te admirarán, tus amigas seguirán tu estilo y quienes no te conocen se quedarán imaginando ¡qué es lo que tienes de tan especial!

Notas

_____

_____

_____

_____

Vestida para la propia ruina

*U*n bonito sábado de verano decidí llevar a mi hijo al parque. Para mi sorpresa, allí estaba ella, en medio de tantos niños y familias: una madre que sólo llevaba una prenda a modo de sujetador apretado como parte de arriba. A ella no le importaban los cientos de niños saltando a su alrededor... Y, a decir verdad, ¡a los niños tampoco les importaba! ¡Tan sólo yo parecía asombrada! Es increíble como la mayoría de los niños ya saben cómo es el sexo opuesto; los niños de hoy en día son diferentes, más maduros en muchas cosas, y esto, da miedo. ¿Dónde fue a parar la inocencia? ¿Dónde fue a parar el sentido común de este mundo? ¿Por qué las cosas malas son aceptadas y consideradas buenas para todos, mientras que las cosas realmente buenas son consideradas como pasadas de moda y menos importantes?

Una de las cosas más comunes que se ve hoy en día, es una mujer desnuda o semidesnuda. Están en todas partes: las escenas de amor de las películas, en los parques tomando el sol, al aire libre, los anuncios de jabón, desfilando en las pasarelas e, incluso, yendo a la iglesia. Sinceramente, a mí me parece que no se dan cuenta de que están desnudas, pues la mayoría de ellas hacen las mismas cosas. Para que una mujer vista ropa decente, no puede ni pensar en comprar su talla, pues su ropa tendría que quedar bien ajustada, incómoda, vulgar e indiscreta. Debido a la moda, a su carrera e, incluso, a su edad, muchas mujeres exponen cada vez más partes de su cuerpo.

La ropa ahora está creada para mostrar y no para cubrir. En muchos casos, los tejidos que se utilizan son los que usábamos en la ropa íntima. Los vestidos cada vez se parecen más a la lencería, creados para usarlos sin ropa interior debajo. Yo me acuerdo de la época en la que la ropa íntima era una de las cosas que la gente intentaba esconder; era vergonzoso que alguien viera incluso el color de la ropa interior que usábamos. Hoy en día, ¡la ropa interior es hecha para ser enseñada! Algunas de ellas son tan pequeñas e insignificantes que ¡yo no sé para qué sirven! Los sujetadores eran usados para protección. Hoy en día, son usados para decorar el escote. Dicen que cuanto más incómodos sean los pantalones, mejor será la imagen de las mujeres. ¿Qué está pasando? Al principio, a los hombres eso les parecía lo máximo, pero ahora es común, normal, todo el mundo los usa... Ellos se cansaron de ver lo que no debían. Muchos ya ni miran; a otros les parece divertido o miran con desprecio.

Esto forma todo parte del plan del diablo para denigrar la imagen de las mujeres. Usa la moda para conducirlas a la ruina, para que los hombres no les otorguen ningún valor y, como consecuencia, no asuman ningún compromiso con ellas, sino que sólo las usen para sus propios placeres. Esto también genera más familias destruidas sin padres, sin maridos y sin moral. ¿Por qué dar ese placer al diablo? ¿Por qué dejar tu cuerpo, que es el templo del Espíritu Santo, ser el blanco de la atención de personas sin buenas intenciones? ¿Por qué ser el motivo de la caída de tantos hombres? ¡Vamos a vestirnos para tener éxito y no para nuestra ruina!

Nosotras mujeres, somos bellas en diferentes aspectos. Nuestra silueta es exclusiva; ¡nuestros trazos son delicados y perfectos! ¿Por qué mostrar más de aquello que ya es bonito? Vamos a usar lo que tenemos para atraer el bien y no el mal, para levantar y no para derrumbar. ¡Vamos a destacar con nuestra manera de vestir! No es necesario no estar a la moda o ser anticuadas para vestirse adecuadamente. Lo único que tenemos que hacer es tener en mente lo que es adecuado. Cuando el objetivo es llamar la atención de todo el mundo, eso no nos trae ningún beneficio y sólo obtenemos la atención de las personas equivocadas. ¿Se acuerdan de Madonna y de Britney Spears? ¿Crees que obtuvieron el éxito que deseaban con aquel beso? Está claro que no.

Respecto a nuestra forma de vestir, debemos tener cuidado para no llamar la atención de todo el mundo y no dar una imagen equivocada, y sí inspirar respeto y crear una impresión buena y positiva sobre nosotras. Infelizmente no siempre podemos contar con la moda para que haga eso por nosotras. Existen modas que son buenas y modas que no lo son y, nosotras, tenemos que saber distinguirlas.

Notas

Libre, ligera y suelta

oy en día, ser joven y bonita es la prioridad de la mayoría de las chicas. ¡Detrás de la belleza vienen los chicos! Sólo piensan en el aquí y el ahora – en lo visual, en la popularidad y en cuándo será la primera experiencia sexual. Piensan que esto es ser libre. El ambiente en los colegios y las telenovelas favorecen este tipo de comportamiento. Los padres están perdiendo el control de sus hijas y no consiguen entender lo que pasa con ellas. Muchas llegan del colegio y van directamente a su habitación y los padres se quedan sin saber cómo ayudarlas. Si la madre intenta mantener una conversación con la hija, la chica pone cara de hastío y dice: "Date prisa mamá." Y la pobre madre se siente una inútil.

Yo ya fui joven, y aunque todavía me considero joven, aún me acuerdo de los pensamientos que tenía en aquella época. La chicas son presionadas a tener un determinado comportamiento en el colegio, entre los amigos e, incluso, en casa – deben pensar en el aquí y en el ahora. Los chicos, aunque también piensen así, son presionados a pensar en el futuro.

Me acuerdo que cuando era adolescente estaba muy apegada a mi madre y esto era motivo de crítica e incomprensión por parte de las chicas del colegio. Yo no estaba de acuerdo, ya que no tenía ningún motivo para ignorar o despreciar a mi madre. ¡Al contrario! La verdad, fue gracias a ella que superé los conflictos de la adolescencia. Me chocaba la manera como las chicas del colegio se referían a sus padres. Era obvio que no les tenían el menor respeto, incluso decían que les odiaban y que deseaban tener otros padres. Decían, también, que se enojaban cuando les veían besándose y que tenían un deseo constante de salir de casa para sentirse libres.

Este tipo de comportamiento no tiene el menor sentido, aun así, es la actitud más común entre las adolescentes; que muestra lo alejadas que están de las cosas que realmente importan. Es muy probable que sus hijos se comporten de la misma forma, pues el ciclo continúa. Esa es la razón, también, por la que tantas chicas crean una "familia" con sólo dos personas (ella y el bebé) tan pronto, pues sólo piensan en el aquí y en el ahora y no se dan cuenta de que acaban quedando atadas, comprometidas y con una carga.

¿Eres joven y libre? Aprovecha esa ventaja. Empieza a tomarte la vida en serio ahora, no se trata de una novela o un culebrón – ¡es real! Todo lo que hagas ahora se reflejará en tu vida el día de mañana. Ama a tus padres. Después de todo su sacrificio para darte lo mejor, es lo mínimo que puedes hacer por ellos. Ama tu cuerpo. No lo desperdicies con experiencias sexuales mediocres, espera que llegue el día en el que te convertirás, junto con tu esposo, en un solo cuerpo. ¡Ama tu futuro, esfuérzate mirando siempre el día de mañana, estudia todo lo que puedas, y sé lo mejor que puedas llegar a ser!

Notas

¡Ah..., la vida sentimental!

o es doloroso? Quieres concentrarte en tantas cosas, pero el corazón insiste en exigir amor, un compañero, una relación... ¡Sólo que no tienes tiempo para esas cosas! Incluso intentas ocuparte con diversas actividades y mucho trabajo pero, aun así, cuando llega la noche, llegan también muchos pensamientos. Tu mente viaja hasta un lugar que tal vez ni exista y, allí, caminas al lado del hombre que te ama...

Por más que nos esforcemos en creer que no necesitamos eso, en el fondo sabemos que sí – ¡y cómo! No es una cuestión de no poder vivir sin una relación afectiva, sino de ser más felices con ella. Nuestra vida sentimental es extremadamente importante y, aunque seas del tipo de mujer que tiene objetivos personales, todo sería más fácil si, al final de un día agotador de trabajo, tuvieses a alguien esperándote.

Ya se ha comprobado que todos nosotros tenemos la necesidad de satisfacer esa área de nuestra vida – y Dios, sabiendo eso, tomó las medidas necesarias. Él vio que la vida de Adán sería mucho más fácil si tuviese una auxiliadora – una mujer. ¡Acuérdate que Adán tenía todo lo que un hombre podía desear! Era rico y tenía el control de todo lo que existía en aquella época, pero, aun así, Dios vio su necesidad.

Todavía hoy, Dios ve esa necesidad, y se alegra en formar matrimonios que van a durar toda la vida; sin embargo, ha encontrado cierta resistencia de nuestra parte. Sabe lo que es mejor para cada una de nosotras, pero no todas están dispuestas a aceptar lo que Él tiene para ofrecer. Muchas prefieren salir por ahí en busca de aquél que más les atrae y acaban forzando una relación que nunca debería haber existido. Mujeres jóvenes que tienen miedo de acabar solas se envuelven con cualquier tipo de relación que aparece. Mujeres maduras que ya no soportan más la soledad y la inseguridad, se envuelven en relaciones sin compromiso que sólo les traen dolores de cabeza. Es un círculo vicioso. ¿Cuándo va a acabar eso? ¿Cuándo Dios va a intervenir en favor de esas mujeres? La respuesta es: cuando ellas desistan de intentar lidiar con algo que no les compete. Dios es el único capaz de formar matrimonios perfectos – ¡y eso tiene mucho sentido! Él es Dios, por lo tanto sabe quien eres por dentro y por fuera. Él nunca se equivoca – nunca.

Tu vida sentimental es muy importante y debes dedicar parte de tu tiempo para cuidarla. Comienza participando en la Terapia del Amor; simplemente ten cuidado para no adelantarte a Dios escogiendo a la persona que a ti te parezca mejor. Si tan sólo entregas tu vida afectiva en las manos de Dios y usas tu fe, creyendo en Él y no permitiendo que las dudas vengan a anular tu fe, Él ciertamente proveerá – Él siempre provee. A Dios no le importa si eres joven, anciana o de mediana edad, viuda o divorciada. Lo que importa es que creas en Él y hagas aquello que solamente tú puedes hacer: orar y usar tu fe.

Notas

Tu mejor no es tu todo

oda su vida giraba alrededor de él – el amor de su vida. Lo amaba tanto que las palabras no podían expresar cómo se sentía realmente y, así, le dio todo; hasta que, finalmente, se dio cuenta de que no era la única a la que él deseaba ver todos los días. Su tiempo y esfuerzo no estaban centrados en ella. Era como si un agujero profundo se hubiese abierto debajo de sus pies. La soledad parecía constante y la oscuridad se convirtió en algo normal. Los amigos y los seres queridos intentaron animarla, pero ella insistió en quedarse en la misma posición y nunca más vio la luz del día.

Las mujeres que se dedican por completo a una relación corren el riesgo de caer en esta misma trampa. No es que las relaciones no sean buenas o fiables, sino que los hombres, los hijos, los parientes y los amigos son simples seres humanos que cometen errores. La decepción es inevitable cuando se está manteniendo una relación con una persona, no importa quien sea. En el momento en que empiezas a esperar la perfección, o mucho, de alguien, inmediatamente te colocas en una posición vulnerable. En una posición donde, al final, saldrás dañada.

Es esencial dedicar lo mejor en la relación en la que crees, pero nunca en ese afán de dar tu mejor en la relación debe incluirse tu entrega total a ella, pues si cualquier cosa daña aquella relación, tú también te perderás. Es necesario amarte más a ti misma que a tu relación y tener algún tipo de autoprotección, de forma que nunca seas derrumbada cuando algo a tu alrededor se derrumbe. ¿Cuánto de ti misma debes entregar en una relación? Simplemente lo mejor, pero lo mejor no significa todo de ti. Lo mejor es una gran parte de ti, y no toda tu persona por completo. El todo sólo puede ser entregado si tienes la certeza de que estarás segura y a salvo, y, de esa confianza, amiga mía, sólo Dios es merecedor. Sabemos que Él nunca nos va a decepcionar. Tal vez las cosas no nos sucedan en el momento en que queremos, mientras tanto, Dios tiene una razón y Él tiene Su tiempo. Él es el Único que merece nuestro todo.

Es triste ver a tantas mujeres que dan todo a los hombres, a los hijos, a los padres, a los parientes y amigos, pero tan sólo una parte de ellas mismas a Dios. Simplemente no entienden ¡cómo se están engañando y construyendo una trampa para que ellas mismas caigan! Tal vez pienses que es difícil dar todo para Dios. Es cierto que nunca Le viste, pero pregunto: ¿Quién te dio fuerzas para levantarte por la mañana después de haber pasado la noche entera llorando? ¿Quién estuvo a tu lado cuando la soledad parecía ser tan grande? ¿Quién te entiende cuando nadie más lo consigue? ¿Piensas que pasaste por todo sola? ¡Piénsalo nuevamente! ¿Todavía no consigues ver a Dios?

Las personas siempre van a entristecer tu corazón, así es la vida. O te proteges, o sufres las consecuencias. Las mujeres sabias se protegen dando todo para el Único con quien pueden contar realmente en cualquier circunstancia. De hecho, hay pocas mujeres que entiendan realmente este importante concepto en la vida y, curiosamente, ¡son las más solicitadas!

Notas

Príncipe encantado

esde que era una niña, soñaba con casarme con mi príncipe encantado y formar una familia con él. Me acuerdo haber escrito un día en un pedazo de papel todas las cualidades que quería que tuviese mi príncipe y, con toda la fe de mi joven corazón, dejé aquel pedido en las manos de Dios. Le pedí específicamente que mi primer novio fuese mi marido para el resto de mi vida. Tenía solamente 10 años y es una pena que no haya guardado aquel pedacito de papel, pues tengo la seguridad de que hoy me emocionaría al constatar que ¡Dios me dio mucho más de lo que pedí!

Según crecía, las personas me presionaban para que me enamorara de éste o aquel joven, pero permanecí firme en mi decisión de tener solamente un novio que, después, se convertiría en mi marido. Era completamente diferente a mis compañeras de colegio. Cuantos más novios ellas tenían, más populares se volvían. Yo parecía un bicho raro en medio de ellas, pero no coincidía con ellas, pues tenía la seguridad en mi corazón de que Dios tenía alguien especial para mí. Y así fue. Conocí a mi marido a los 16 años y fue mi primer y único novio. Lo teníamos todo en común y, cuánto más nos conocíamos, más seguros nos sentíamos de que estábamos hechos el uno para el otro. Teníamos la misma visión, el mismo espíritu, el mismo deseo y la misma fe. No tardamos mucho hasta que nos casamos y comenzamos nuestra vida juntos. El día de nuestra boda fue el más feliz de nuestra vida – después, claro está, del día en que conocimos al Señor Jesús. Enfrentamos, como cualquier matrimonio, muchas luchas, pero si tuviese que hacerlo todo de nuevo, lo haría. Casarse con un hombre de Dios es como firmar un contrato vitalicio de felicidad. Luchamos y vencemos nuestras batallas juntos. No importa dónde estemos o vivamos, somos uno y, simplemente, no podemos vivir separados.

Este testimonio es para mostrar que, incluso delante del alto índice de divorcios y matrimonios infelices, Dios me bendijo, no porque soy especial, sino porque usé mi fe en Él y permanecí firme hasta el final. Estamos casados desde hace 12 años y nuestro amor no para de crecer con el paso del tiempo. ¡Es como vivir en una eterna luna de miel! ¡Reímos y lloramos juntos! ¡Somos un dúo! Nada ni nadie puede separarnos, pues Dios es quien nos une.

Tan cierto como que Dios vive, Él desea que tú tengas un matrimonio y una familia bendecida – es Su plan para cada ser humano. El problema es que las personas no quieren a Dios interfiriendo en su vida. Quieren independencia, libertad. Si supiesen el gran número de oportunidades para fracasar y sufrir que les aguardan sin Dios a su lado... Hoy, aquellas chicas populares del colegio que se divertían mucho y con muchos novios, están divorciadas y solas. La soledad, las drogas, los vicios y los malos caminos son compañeros de aquellos que no tienen una familia de Dios. Amiga mía, sé sabia y busca en Dios un verdadero matrimonio, pues sólo así encontrarás la verdadera felicidad.

Notas

El hombre de Dios

S u amor por Dios es tan intenso y verdadero que jamás haría nada para dañarlo o avergonzarlo. Él teme a Dios y eso lo convierte en fiel a Él, a su esposa y a todos a su alrededor. Destaca de entre los demás hombres por su fidelidad, su carácter, su sabiduría y comprensión. No se encuentra en cualquier lugar – la verdad es que es muy difícil de encontrar. Este hombre especial no es un supermodelo o un superhéroe. Su apariencia es lo que menos importa una vez que lo conoces. Habla con la sabiduría de quien ya vivió mucho. Su conversación es agradable y edificante. No tiene miedo, no porque se crea mejor que los otros, sino porque sabe que siempre puede contar con el Espíritu Santo. Nada llega de forma fácil para él, pero acepta cada desafío y, por la fe, los vence todos. Es una inspiración para los otros y, a través de su vida, Dios es glorificado. Es un verdadero príncipe y, cuando te casas con él, tendrás su amor y su fidelidad para toda la vida. Te enseña, pero también sabe oírte, siente placer en tu compañía y, por eso, siempre te incluye en los momentos de diversión. Sólo con el hecho de que tú estés a su lado, le conforta y alegra. No exige mucho, solamente que tú te entregues completamente, así como él se entrega a ti. Es trabajador y no descansa hasta que consigue aquello que quiere. No es perezoso ni vago, su meta es conquistar aquello que honra a Dios. Es serio respecto a las cosas importantes de la vida y no acepta llevar las derrotas a casa. Es seguro de sí mismo y tiene todo lo que necesita, menos aquélla que lo hará completo: una esposa. Sí, éste es el sueño de toda mujer, sin embargo, él busca una esposa.

Algunas mujeres piensan que esta descripción es fantasiosa y demasiado buena para ser verdad… Eso pasa porque nunca tuvieron la suerte de conocer a un hombre de Dios.

Este hombre no tiene el reconocimiento del mundo. Los hombres que envidian su integridad intentan humillarlo. Mujeres que no perciben sus cualidades lo desprecian como si fuese un extraterrestre, pues nunca lo encuentran en los bares y pubs de la vida y no consiguen seducirlo con sus palabras e insinuaciones. No es atraído por cualquier mujer como la mayoría de los hombres – y éste es sólo un detalle más que lo hace tan diferente de la mayoría. No está buscando una novia, un lío o una aventura... ¡Él está buscando una esposa!

"¿Quién como el sabio? ¿Y quién otro sabe la explicación de un asunto? La sabiduría del hombre ilumina su faz y hace que la dureza de su rostro cambie" (Eclesiastés 8:1).

Notas

_____

_____

_____

_____

_____

_____

_____

_____

_____

Cómo atraer a un hombre de Dios

𝒫 rácticamente todas las jóvenes están buscando a un hombre de Dios, pero incluso así, sólo algunas realmente saben cómo atraerlo. Muchas no comprenden por qué él no se interesa por su apariencia, a pesar de dedicar horas para arreglarse y vestirse antes de ir a la iglesia; en realidad, el hombre de Dios ni siquiera sabe que ellas existen. Entonces, ellas intentan aproximarse y tomar la iniciativa... Aun así, él parece indiferente, ¡como si ellas fuesen personas de otro mundo! No atraerán su atención por la forma de vestirse o de andar, ni tan siquiera por los amigos que tiene, pues él no es como los otros jóvenes. Su apariencia, a pesar de todos sus esfuerzos, no llama su atención. El hombre de Dios es como una piedra rara y preciosa – y así también es la mujer que él busca. Mientras que todos los demás hombres están buscando una bella joven, él está buscando una mujer de Dios.

Esa mujer de Dios no es una religiosa o una santa. No. Es un ser humano como cualquier otro e, incluso con todos sus defectos, teme a Dios y por eso, intenta servirle de la mejor manera posible. Siempre que tiene un tiempo libre, intenta hacer algo para servir a Dios. Ella es así: ¡feliz de servir a Dios! Se la ve haciendo las tareas que a nadie le gusta hacer y no va a la iglesia para llamar la atención de nadie, a no ser de Dios. Aunque tenga sus compromisos con los estudios y con el trabajo, siempre se pone a disposición, pues servir a Dios es lo más importante para ella. De esta forma, el hombre de Dios ve su dedicación y desea saber quién es ella. ¿Será la esposa que él busca, cuyos ideales son los mismos que los suyos? Sin embargo, todavía no es el momento adecuado para acercarse... ¡Hay mucho que observar!

Primero intenta obtener información sobre ella, tal como: si es más joven que él, si es lo suficientemente madura como para casarse, si es responsable y cuidadosa con la casa, si es sumisa a los padres, si respeta a los compañeros de trabajo, si es una sierva de verdad, si es fiel a Dios... Es decir, lo que ella sea y haga antes de casarse, ciertamente será y hará después de casarse. Solamente después de obtener un resultado positivo, tendrá la certeza de que ella es la persona adecuada. No tendrá necesidad de orar al respecto, pues llegó el momento de acercarse y revelar su certeza y sus sentimientos hacia ella.

¡Es así como se atrae a un hombre de Dios! Él no está buscando a una mujer perfecta – y, sí, a una mujer que sirva a Dios.

Notas

_____

_____

_____

_____

_____

_____

_____

_____

_____

_____

Mujeres que merecen quedarse solteras

ella mujer de 31 años busca un hombre de Dios que sea romántico y sofisticado; que le guste pasear por la playa y ver películas románticas antiguas; que esté dispuesto a asumir un compromiso para toda la vida y tener hijos. Tiene que ser de esta altura, tener esta apariencia, esta edad, este nivel cultural, esta personalidad y estos objetivos. Resumiendo: tiene que ser perfecto.

¿Cuántas mujeres felizmente casadas pueden decir que, de hecho, encontraron al hombre perfecto? Sinceramente, ninguna. Los seres humanos jamás pueden ser perfectos, por más que lo intenten. La perfección solamente existe en las películas y los libros románticos, en los que, además, dura solamente unas horas o días – ¡no dura para siempre!

La mujer que piensa que existe un hombre perfecto preparado para ella no está siendo ni un poco realista. Muchas mujeres confunden compañero perfecto con hombre perfecto – ¡y eso no tiene nada que ver! Tu compañero perfecto es tu otra mitad; no es necesariamente perfecto y, definitivamente, no necesita ser igual que tú. Al contrario, tiene que ser diferente a ti en algunos aspectos para que pueda completarte.

Mi marido y yo somos muy diferentes el uno del otro y, aun así, nos completamos. No es una cuestión de ser perfectos ¡de ninguna manera! La primera vez que vi a mi marido, creí que él era todo lo que siempre había querido: un hombre de Dios. Es obvio que su apariencia me atrajo bastante, pero no fue ése el motivo que me hizo escogerlo. Él tenía las características necesarias para hacerme feliz. No estaba preocupada en saber si era romántico o si tenía una personalidad semejante a quien quiera que fuese. Lo cierto es que él era muy serio y, aparentemente tímido – no tan intrépido como imaginaba que sería mi primer novio. Sin embargo, cuando se enfrentó a una situación difícil, pude ver lo intrépido que era; y eso fue lo que más me llamó la atención.

Muchas jóvenes solteras tienden a ser difíciles y exigentes, como si ellas mismas fuesen perfectas. Las mujeres sabias saben que, en los días de hoy, los pocos hombres de Dios disponibles son preciosísimos. Saben que pueden fácilmente ajustarse a algunas imperfecciones, a fin de cuentas, reconocen que también poseen defectos y que necesitan un hombre que las complete. Por esa razón, el título de este artículo, aunque rudo e insensible, infelizmente es la más pura verdad. Hay personas que son incapaces de aceptar las imperfecciones de los otros y acaban perdiendo las verdaderas bendiciones. ¡Dale una oportunidad! ¿Quién sabe si no es la bendición que tanto deseas y que estás desperdiciando simplemente porque él no es como fulano o mengano? Además, si tienes un novio que es exactamente como tú, ¿qué diferencia vas a marcar en la vida del otro durante el matrimonio? ¡Tal vez sea mejor que permanezca soltero y solo! Cuando una mujer se casa no es solamente para asumir un compromiso para siempre, sino también, para que pueda marcar la diferencia en la vida de su marido como su perfecta auxiliadora.

¿Te acuerdas de Rebeca? Ella todavía no había conocido a Isaac, pero creyó que era Dios quien la estaba escogiendo y, por eso, dio un gran paso de fe, dejando a su familia para encontrarse con un desconocido que temía a Dios. Cuando Isaac la vio por primera vez, Dios hizo su parte; ellos dieron un paso de fe y Dios cuidó del resto.

Notas

_____

_____

_____

_____

_____

Apasionada

*E*l corazón late más fuerte cada vez que lo ve. Cuando tú lo miras a los ojos, sientes vergüenza, pues es como si él pudiese leer todos tus pensamientos... Tus sentimientos acerca del hombre de tus sueños son tan fuertes que serías capaz de hacer cualquier locura para tenerlo. Te apasionaste y no hay nada ni nadie que pueda hacerte cambiar de idea – ¿o será que lo hay?

Siempre me pregunté por qué las personas apasionadas son capaces de cometer desvaríos en nombre del amor. Fue Dios quien creó el amor y tengo la más absoluta certeza de que Él no lo hizo para que se convirtiese en un sentimiento negativo o que fuese capaz de conducir a las personas a cometer locuras en su nombre. Sin embargo, eso es lo que con más frecuencia hacen las personas en los días de hoy. Todos los días y en todo el mundo, muchas mujeres abandonan su fe en Dios por causa del "amor de su vida".

¿Qué es, entonces, el amor verdadero? Con seguridad no tiene nada que ver con la pasión pues, si fuese así, muchas mujeres apasionadas no estarían sufriendo tanto. En 1 Corintios 13:1-8, Dios nos da la respuesta a través del apóstol Pablo diciendo: *"Si yo hablara lenguas humanas y angélicas, pero no tengo amor, he llegado a ser como metal que resuena o címbalo que retiñe. Y si tuviera el don de profecía, y entendiera todos los misterios y todo conocimiento, y si tuviera toda la fe como para trasladar montañas, pero no tengo amor, nada soy. Y si diera todos mis bienes para dar de comer a los pobres, y si entregara mi cuerpo para ser quemado, pero no tengo amor, de nada me aprovecha. El amor es paciente, es bondadoso; el amor no tiene envidia; el amor no es jactancioso, no es arrogante; no se porta indecorosamente; no busca lo suyo, no se irrita, no toma en cuenta el mal recibido; no se regocija de la injusticia, sino que se alegra con la verdad; todo lo sufre, todo lo cree, todo lo espera, todo lo soporta. El amor nunca deja de ser..."*

El amor nunca decepciona. Entonces, ¿por qué las personas apasionadas casi siempre se decepcionan? La verdad es que la pasión es diferente al amor que Dios creó y demostró al dar Su Propia vida. Si tú lees y meditas en cada versículo de arriba, vas a percibir que el amor es completamente diferente de lo que el mundo enseña a través de canciones, melancolía y decepciones. El amor es puro y fue creado para ser perfecto, infalible e incondicional. Ante todo eso, podemos concluir que pasión no es sinónimo de amor verdadero. Muchas mujeres han abandonado todo por un amor de mentira, que casi siempre acaba por destruir cualquier esperanza que poseen – pero el verdadero amor todo lo espera. Algunas mujeres llegan al punto de quedarse embarazadas en el intento de impedir que su enamorado las deje, pero el verdadero amor no busca sus propios intereses y no puede ser forzado. Otras se acuestan con su novio solamente para demostrarles cuánto le aman, pero el verdadero amor no se comporta de forma inconveniente ni se afana.

¿A qué has llamado amor? Tal vez sea por eso que te has sentido tan desorientada. Te has dejado envolver por el amor que el mundo presenta y, por eso, todavía no conociste el verdadero amor. ¡Deja de engañarte! ¡Dale un basta a esa situación! y vuélvete hacia el Verdadero Amor, nuestro Señor Jesucristo, y ¡Él te va a mostrar todas las maravillas de ese amor!

Notas

_____

_____

_____

_____

_____

Sola nunca más

"*N*o puedo soportar la soledad", dice con lágrimas en los ojos mientras mira sus manos temblando. "Una cosa es creer en Dios y vivir una vida de sacrificio, pero ¡vivir sola es demasiado! ¿Cuándo me va a bendecir Dios con un marido, un hombre que pueda llenar mi vacío?" Aquella mujer vino hasta mí un viernes por la noche para recibir una orientación y, aunque entendía su situación, no encontré palabras para responder a su pregunta.

Hay preguntas que solamente nosotras mismas podemos responder – nadie, además de nosotras, puede explicar por qué las cosas no suceden en nuestra vida, pues es nuestra vida; ¡nada podría ser más personal! Aun así, muchas mujeres cristianas enfrentan el mismo problema en la vida sentimental. Se sienten como si la vida cristiana las hubiese conducido a la soledad y a la frustración, como si ése fuese el precio a pagar por ser mujeres de Dios.

Sabemos muy bien que en el momento en que empezamos a hacer las cosas a nuestra manera, terminamos fallando, no porque Dios quiera hacer las cosas más difíciles para nosotras o porque esté jugando con nuestros sentimientos, pero es aquella vieja regla: tú recoges lo que tú plantas. ¿Cuántas relaciones fracasadas tuviste antes de conocer a Dios? Siendo así, puedes concluir que ¡la causa de tu soledad no está en el hecho de ser cristiana!

Medita en esto: Muchas veces Dios intentó aproximarse a ti y, finalmente, lo consiguió. Sin embargo, Él ahora enfrenta otra dificultad: Tú no dejas de pensar en tu futuro, en la vida que siempre soñaste tener y raramente te aproximas a Él con el fin de conocerlo mejor; al contrario, estás siempre pidiendo eso y aquello, y si las cosas no suceden de la manera que quieres, te quedas furiosa con Él. Dios te ama mucho y, verte buscando a alguien o alguna otra cosa más que a Él, hiere, y mucho. Dios sabe que el tiempo es capaz de enseñarte la lección, pero ¿estás dispuesta a aprender?

La Biblia dice que Dios es celoso (lee Deuteronomio 4:24; Éxodo 20:5, 34:14; Josué 24:19; Ezequiel 39:25; Nahum 1:2) y que Él *"tu esposo es tu Hacedor, el Señor de los ejércitos es su nombre; y tu Redentor es el Santo de Israel, que se llama Dios de toda la tierra."* (Isaías 54:5) Dios quiere bendecirte y hacer de ti la mujer más feliz del mundo; a fin de cuentas, ¿no es eso lo que le deseamos a aquéllos que amamos? El problema es que Dios ha sido dejado de lado y la ansiedad ha tomado el control de ti. Él ya no es tu primer amor, sino alguien que necesita darte "regalos" para probar que te ama. Incluso es divertido hablar así, pero eso es lo que sucede ¿no es así? Sé sabia, amiga lectora, y confía en que Dios va a suplir todas tus necesidades. No permitas que ellas te hagan perder el bien más precioso: ¡el Marido que nunca te va a decepcionar ni a fallar!

Notas

_____

_____

_____

_____

_____

_____

_____

_____

_____

¿Quién es tu novio?

quel guapo joven se acercó un día, inesperadamente, y solamente la actitud de ir hasta ti te impresionó tanto que decidiste conquistarlo. El tiempo pasó y la relación parece estar yendo cada vez mejor. Seguramente creas que en breve, te pedirá matrimonio y ¿cuál será tu respuesta?

Nadie puede decir con seguridad quién es la persona con la que estás saliendo hasta que te cases y finalmente conozcas el otro lado de la persona. Puedes pensar que lo conoces muy bien pero, sorprendentemente, no es así. Si hasta el momento no te casaste, todavía no lo conoces bien, no será sabio casarte con alguien en esas condiciones ¿no es así?

La Palabra de Dios dice en 1 Juan 4:1: *"Amados, no creáis a todo espíritu, sino probad los espíritus para ver si son de Dios..."* El simple hecho de que tu novio sea cristiano, no es suficiente para pensar que estarás segura casándote con él. Hay muchas cuestiones a analizar antes de tomar una decisión tan importante respecto al matrimonio. Vamos a comenzar por el hecho de que las palabras son palabras. Todo lo que él dice no debe ser tenido en consideración todavía. Observa sus actitudes. ¿Cómo son su familia y sus amigos? ¿Cómo enfrenta los problemas en su lugar de trabajo o en su familia? ¿Es positivo, negativo o inseguro? La manera de enfrentarse a sus problemas puede decirte mucho de tu novio. ¡Fíjate que conocemos quiénes realmente somos, cuando estamos en medio de los problemas! Otra tarea muy importante es verificar su pasado. ¿Por qué su última relación no salió bien? ¿Tiene algún asunto no resuelto del pasado, como un hijo con alguien? ¿Cómo actúa respecto a su pasado? ¿Aprendió y cambió, o todavía culpa a todos menos a sí mismo de sus fracasos? Si culpa a otros de sus fracasos y no reconoce sus propios errores, probablemente te reclamará a ti cuando lleguen los problemas.

Existen aquéllos que les gusta bromear con las mujeres y normalmente dicen que no existe nada entre ellos. ¿Cómo se comporta tu novio respecto a otras mujeres? ¿Le gusta estar en medio de ellas o lo hace sólo cuando es necesario? Preguntas como esas, son extremadamente importantes cuando se está probando el espíritu de tu novio, pues responden otros muchos "porqués" que vendrán después del matrimonio.

No debes buscar la perfección, y sí alguien que teme a Dios. Cuando un hombre teme a Dios, te respeta a ti y a los demás, y se aparta del mal ¡Ése es el elemento clave que necesitas en un marido! Concluyendo: Si no te gustó lo que descubriste, no pienses que cambiará después de la boda. Ése es un gran riesgo y también la razón de que haya muchos matrimonios infelices.

Notas

_____

_____

_____

_____

_____

_____

_____

_____

_____

_____

Noviazgo cristiano: Lo que se debe y no se debe hacer

E n general, es raro que los cristianos se sientan incómodos respecto al noviazgo, a fin de cuentas, el mundo hace que parezca algo muy simple y fácil. Todo está permitido con tal que tú te sientas cómoda y nada te acuse – suelen decir ellos. La verdad es que el noviazgo puede ser tanto una bendición como una maldición. Mientras muchas jóvenes han caído en pecado, otras se han fortalecido en la fe por estar siguiendo las reglas de un noviazgo cristiano. Todo cristiano debería ser consciente de eso con el fin de no poner en peligro su relación con Dios.

La primera cosa que debe aprenderse respecto al noviazgo es que no existe solamente para que puedan salir y divertirse. El noviazgo es diferente de la relación que tienes con tus amigas y con tus familiares. La fase del noviazgo es para que los dos se conozcan mejor. Son como dos extraños; aunque se conozcan hace muchos años, no es suficiente para asumir un compromiso para el resto de sus vidas. Es ahí donde entra la fase del noviazgo: para que puedan conocerse mejor.

El noviazgo cristiano no es muy diferente de la vida cristiana, ya que ambos son diferentes de todo lo que hay en el mundo. Si una persona cristiana quiere tener un noviazgo de la misma forma que acostumbraba a tenerlo en el mundo, acabará cayendo en pecado y, consecuentemente, se sentirá lejos de Dios. Las cristianas sabias saben que la salvación es más importante que cualquier cosa de este mundo y, por lo tanto, no debe ponerse en riesgo debido a los deseos carnales y temporales. Por eso es muy importante que te protejas, para no caer en pecado, tomando ciertas medidas de precaución durante la fase del noviazgo, tales como:

1. Acude siempre a lugares públicos y durante el día, pues así es más difícil dar rienda suelta a los deseos de la carne. Habrá tanta gente alrededor que será prácticamente imposible hacer algo de lo que te arrepientas más tarde. Conseguiréis hacer solamente aquello que realmente debéis – ¡conversar!

2. Viste siempre ropas discretas y apropiadas, pues tu cuerpo es tentador para el joven que está saliendo contigo. Si revelas más de lo que debes, será muy difícil que él resista los malos pensamientos. Me acuerdo que mi madre me enseñó eso cuando ya había empezado a tener novio. Yo incluso dejé de ponerme cierta ropa que me gustaba para evitar que mi novio tuviese pensamientos impuros.

3. Evitad ir a casa de uno o de otro cuando no haya nadie cerca, pues se sentirán tentados de mantener contacto físico y acabarán cayendo en pecado. Si no hubiese más remedio, entonces eviten besarse y abrazarse mientras estén solos – ¡las tentaciones están en todas partes!

4. Cuando se abracen, evitad que sus cuerpos se toquen de la cintura hacia abajo. De esta forma, estaréis evitando tocar en áreas extremadamente peligrosas.

Recuerda: salir con un chico durante el noviazgo no es tocar el cuerpo uno del otro y divertirse, sino conocerse bien uno al otro con el fin de decidir si están preparados o no para pasar la vida juntos. Los cristianos no salen juntos para divertirse, pues saben que ése tipo de relación más tarde acaba haciéndoles daño. Los cristianos salen juntos para encontrar a la persona con la que van a vivir toda la vida.

Notas

_____

_____

_____

_____

_____

_____

¿Es hora de pasar página?

É l te dijo que necesitaba un tiempo para pensar. No lo ves desde hace días y, simplemente, no tienes la menor idea de dónde o con quién está. Dice que te ama pero que prefiere mantener la relación como está, es decir, prefiere no casarse. Cada día es más difícil despertarse por la mañana; parece que el tiempo no pasa y te sientes confusa y sin la menor idea de qué hacer de aquí en adelante. Te paraste en el tiempo, pero, todo a tu alrededor continúa en constante movimiento. Las personas y los animales nacen y mueren todos los días. Las flores florecen y se marchitan todos los días. El sol y la luna vienen y van todos los días. Envejecemos todos los días. Cuando miras por la ventana, todo parece estar en el mismo lugar; mientras tanto, la verdad es que muchas cosas están pasando exactamente en aquel momento – sin embargo, desde tu punto de vista, no lo parece. A ti te puede parecer que estás simplemente empleando un tiempo para pensar y decidir qué hacer después, pero el tiempo no espera por ti. Continúa en movimiento, como todo y todos a tu alrededor. Quedarte parada no te va a llevar a ninguna parte y puede incluso impedirte alcanzar cosas mejores en la vida.

¿Por qué esperar? ¿Por qué perder tu precioso tiempo? Tal vez tu preocupación sea cambiar y nunca más tener a aquella persona en tu vida nuevamente. O, tal vez, tengas miedo de no encontrar nunca a nadie mejor. Pero si él es tan maravilloso como piensas ¿por qué te dejó? ¿Por qué necesita tiempo para pensar? Ahora es el momento de seguir adelante; tú te mereces lo mejor. Muchas mujeres tienen tan baja autoestima que acaban apartando a los hombres. Debes amarte a ti misma. ¿Cómo alguien puede amarte como eres si tú misma no te amas? Ve adelante. Conviértete en la mujer que eres en tu interior, una mujer con potencial, que lucha y conquista aquello que desea. Tus emociones quieren echarte hacia atrás y hacerte parar. Debido a tus emociones, lloras fácilmente, te quedas constantemente triste e imaginando dónde estará él. Sientes que, de alguna forma, la culpa es tuya.

Tus emociones no pueden llevarte a ningún lugar y ése es el motivo por el que te paraste en el tiempo. Usa tu espíritu, es decir, tu mente para pensar con seguridad. Aprendiste la lección, entonces, sigue adelante y hazlo mejor esta vez. Deja que el pasado se quede en el pasado, llévate solamente el valioso discernimiento que adquiriste con la experiencia. Dios está esperándote; Él quiere transformarte en la mujer que se ajustará perfectamente al hombre que Él tiene preparado para ti. ¿Por qué perder el tiempo con cosas que sólo te trajeron inseguridad? Deja que tu espíritu te lleve hacia adelante, o sino… quédate parada y deja que tus emociones controlen tu vida.

Notas

_____

_____

_____

_____

_____

_____

_____

_____

_____

Carta de amor

C uando te vi por primera vez, era todo tan sencillo... Eras sólo una joven y todo era novedad. Nunca nos cansábamos el uno del otro. Siempre que estábamos juntos, los días eran como horas y las horas como minutos. A veces, no necesitábamos ni hablar, pues el tiempo que pasábamos juntos era suficiente – y muy precioso. ¡Ah! Cómo me gustaba oír tu dulce voz, tan suave en Mis oídos. Pero, ahora, por algún motivo, todo se volvió tan complicado... No es que Yo haya cambiado, simplemente las cosas no son como antes. Varias veces esperé pacientemente hasta que pudiésemos, al fin, pasar algunas horas juntos, conversar y escucharnos el uno al otro sin preocuparnos con el tiempo, pero me cansé de esperar. Ya hace algún tiempo que no oigo tu dulce voz. La última vez que te hablé, no fuiste ni un poco amable conmigo. Me recriminabas esto y aquello como si Yo estuviese bloqueando tu vida. ¿Por qué me abandonaste, Mi amada? ¿Será que Yo no te di suficientes pruebas de Mi amor? ¿Qué más tengo que hacer para que entiendas lo importante que eres para Mí? A veces te busco, pero parece que estás siempre tan ocupada que no te sobra tiempo para mirarme. Yo estaba cuando las cosas no iban bien en tu trabajo; aun así, no miraste en Mi dirección. Una de esas noches, Yo intenté conversar cuando estabas sola en tu cuarto, pero comenzaste a ver la televisión...

Me di cuenta que has visitado Mi casa una o dos veces por semana, pero es extraño cómo parece que no te importo. Vas y vienes y nada cambia entre nosotros. Por favor, no Me entiendas mal, pero Yo quiero que las cosas cambien entre nosotros. He intentado de todo para que eso suceda, pero en los últimos días has estado tan distante e indiferente a Mi voz. ¿Cómo puedo aproximarme nuevamente a ti? Yo te amo tanto y, ahora, Mi corazón está partido.

Hay señales en todas partes diciéndome que este amor ya no es mutuo. Eso me hiere, querida Mía. Yo no dejé de amarte y estoy esperándote. Yo te conozco mejor que cualquiera y no importa lo que estés pasando ahora, en breve descubrirás quién es realmente importante en tu vida. Yo voy a esperar. No importa cuánto tiempo tarde, Yo voy a esperar.

He intercedido por ti y, en el fondo, sé que todavía sientes la falta de aquella relación que teníamos – tan fuerte, tan inocente y que jamás podrá ser comparada con ninguna otra relación que tuviste o tendrás. Tal vez las cosas hayan cambiado porque nunca tuvimos un encuentro verdadero. Caminábamos hacia eso, pero cuando Yo estaba listo para revelarte todo sobre Mí y así darte una nueva vida, tú retrocediste. ¡No hay problema, querida Mía! Todavía hay tiempo para estar más juntos que nunca. Sólo tienes que decírmelo y así declararemos una nueva vida juntos, para siempre. Todo el mundo va a dar testimonio de nuestro amor, el verdadero amor. Es por eso que vale la pena esperar – y Yo voy a esperar.

"Paloma mía, en las grietas de la peña, en lo secreto de la senda escarpada, déjame ver tu semblante, déjame oír tu voz; porque tu voz es dulce, y precioso tu semblante" (Cantares 2:14).

Notas

¿Qué quieren las mujeres?

$\mathcal{M}$uchos hombres dicen que es muy difícil entender a las mujeres, como si fuésemos alienígenas y necesitásemos ser estudiadas durante años al detalle. Muchos incluso mueren sin saber lo que realmente quieren las mujeres. Hacen bromas diciendo que somos seres complejos, casi imposibles de agradar. ¿Será que eso es verdad? ¿Será tan difícil agradar a una mujer?

Si los hombres pudiesen ver los seres maravillosos que somos, no tendrían ninguna dificultad para entendernos. No somos tan complicadas como parecemos. Somos, simplemente, seres emotivos que, al contrario que los hombres, vivimos más según el corazón que según la mente. Nosotras, las mujeres, somos más sensibles debido a nuestra inclinación hacia las emociones y al corazón; tenemos la habilidad de sentir el dolor de los otros. Nos quedamos tristes debido a la tristeza de otras personas y eso explica por qué lloramos al ver algunas películas. Generalmente, los hombres miran hacia nosotras en aquellos momentos tristes de las películas y piensan que tenemos la mente débil, pero no es verdad. Si al menos pudiesen ver lo que estamos sintiendo en nuestro ser, o lo que está sucediendo allí dentro...

Todo lo que queremos es un poquito de comprensión, ¡sólo eso! Comprensión de que nosotras somos más emotivas que los hombres y que necesitamos más atención. Necesitamos ser amadas de tal manera que la necesidad más fuerte de nuestro corazón sea suplida. Algunos hombres piensan que pueden mostrar su amor trayendo dinero a casa y dándonos un lugar donde dormir; pero eso no es ni por asomo lo que realmente necesitamos. Maquillaje, peinados, dietas, éxito y talento no pueden ni compararse con lo que deseamos ¡los ojos de nuestro hombre fijos en nosotras! Somos capaces de quedarnos calladas durante horas sólo para que ellos vengan y nos pregunten qué nos pasa. No llamamos por teléfono sólo para que ellos quieran saber dónde estamos. Eso puede parecer cosa de niños, pero estamos hechas así. Somos seres emotivos y buscamos atención. Amamos la independencia, pero soñamos con el matrimonio; deseamos tener los mismos derechos que los hombres tienen en la sociedad, pero también queremos ser consideradas y respetadas como en los viejos tiempos. Si algún hombre consigue entender este punto, ¡entonces puede decir que conoce a las mujeres!

Notas

Diez cosas que los maridos deberían saber sobre sus mujeres

A veces oigo a hombres hablando que nosotras somos complicadas y me pregunto a mí misma si ellos realmente conocen a las mujeres. Decidí, entonces, hacer una lista de aquello que las mujeres más desean de sus maridos:

1. Las pequeñas cosas son las que realmente cuentan. Tener un lugar donde vivir, comida y estar casada no es suficiente. La mujer se aterra cuando su marido no demuestra su amor por ella en pequeños, pero importantes gestos. La mujer generalmente no considera una situación como un todo; para la mayoría, cada detalle debe tenerse en cuenta.

2. Cuando se queda callada o de mal humor de repente, probablemente está enviando una señal de que necesita atención. Puede incluso parecer un poco fría e indiferente, pero lo que realmente quiere es que su marido se fije en ella y la admire. ¡Un simple elogio o un beso, cambia todo!

3. La mujer quiere ser escuchada. Ansía la total atención de su marido en los asuntos que son importantes para ella, pero que no tienen ninguna importancia para él. Muchas veces, la mujer habla sobre un asunto cualquiera solamente para que su marido la escuche. Es irónico, pero hay muchas mujeres casadas que se sienten más solas que las que están solteras.

4. La mujer adora ser percibida. Pasa horas arreglándose como si el tiempo se parase solamente para vestirse y, cuando acaba, se siente una princesa. Pero, si su marido no lo nota, todo se va río abajo. La verdad es que cada vez que una mujer mira a su marido es como si fuese la primera vez – y es exactamente así como quiere que su marido la vea también, sin importar su edad o su peso.

5. La mujer quiere que su marido sea creativo, pues la rutina convierte el matrimonio en algo aburrido. La decisión espontánea de llevarla a una cena para dos o de agarrarla por sorpresa en el pasillo y llenarla de mimos será recordada siempre. Un pequeño detalle: a las mujeres les encanta ser besadas, como en el tiempo de novios. De alguna forma, ellas se sienten más jóvenes y atractivas.

6. A la mujer le encanta cuando su marido tiene el control. Algunas mujeres pueden no asumirlo, pero ciertamente les gusta tener un líder en la familia. El hombre que no ejerce su autoridad como jefe de la familia, avergüenza a su mujer. Es obvio que él no debe usarla para hacer el mal, pues su autoridad sólo es admirada cuando es usada con sabiduría y para el bien de todos.

7. La mujer quiere ser buscada. Le encanta que su marido la busque. A veces, su "no" es un "sí"; en realidad, sólo quiere saber hasta qué punto él va a llegar. Es bueno que el marido tome la iniciativa de vez en cuando; sin embargo, es importante señalar que eso no le da al hombre el derecho de abusar de su mujer cuando ésta le dice que "no". Creo que todo hombre sabe cuando un "no" es negativo o positivo.

8. La mujer ansía el aprecio y el reconocimiento de su marido, por el cuidado que tiene con la casa y con los hijos. Un simple "gracias" ¡puede marcar una gran diferencia!

9. La mujer admira a su marido cuando es trabajador, fiel, serio y determinado en tener éxito; por otro lado, desprecia al hombre cobarde.

10. Por encima de todo, la mujer quiere ver el temor de Dios en su marido. Se siente segura cuando él es un hombre de Dios. Tal vez, nadie más de la familia sea de Dios, pero si lo es su marido ¡es suficiente!

Notas

Cómo conservar el matrimonio

S acrificio. ¡Ningún matrimonio puede salir bien sin sacrificio! Infelizmente, muchos matrimonios intentan resolver sus problemas simplemente conversando sobre ellos, pero no consiguen obtener éxito. Otros están determinados a pelear, a exponerse e, incluso, a separarse, pero no están dispuestos a sacrificar, dejando de lado su orgullo. Sacrificio es cuando una mujer ignora todo lo que parece ser sensato a los ojos de este mundo con el fin de realizar su propósito, su meta, su objetivo: salvar su matrimonio.

Sacrificar nunca es fácil, pues la persona tiene que negar su propio "yo" y actuar con determinación. Las privaciones pueden hacer a una mujer llorar, pensar que no va a llegar a ninguna parte o que, de alguna forma, está perdiendo. Aun así, debe estar determinada a hacer todo lo que fuera necesario para salvar su matrimonio. El sacrificio debe formar parte de su día a día: Toda palabra que ella profiera, toda decisión que tome y toda emoción que sienta.

Ella tendrá que ignorar la opinión ajena, pues nadie es capaz de entender su determinación por salvar su matrimonio. Sus amigos no podrán comprenderla y la criticarán por estar viviendo "momentos difíciles". Además, sus parientes le aconsejarán que deje ese matrimonio que, según ellos, no tiene más sentido. Ella incluso se siente una tonta cada vez que desiste de algo para invertir en su relación. Sí, es humillada, pero va a valer la pena, pues el resultado final será mucho mejor que la preocupación temporal que tiene con la opinión de los demás.

La mujer que escoge el camino del sacrificio estará casada para siempre. Las personas van a admirar su matrimonio, que es algo increíble en los días de hoy, y dirán: "Ellos están tan unidos y son tan parecidos..." ¡Ah, si supiesen cuánto sacrificio fue necesario para llegar a ese estado!

El matrimonio es una de las mayores bendiciones en la vida de un hombre y de una mujer, pero, porque pocos están dispuestos a pagar el precio, pocos verdaderamente disfrutan de esta bendición. La mayoría de las personas espera pagar un precio bajo. Siento decir que van a continuar esperando durante el resto de la vida. Nunca van a encontrar la verdadera felicidad en el matrimonio porque no están dispuestos a sacrificar, esto es, a perder en un corto plazo de tiempo para ganar a largo plazo.

Me gustaría decir que orar no es suficiente. Dios no puede hacer aquello que sólo tú debes hacer por tu matrimonio. A través de oraciones, Dios podrá bendecirte, darte fuerzas y tocar el corazón de tu marido, pero Él no puede sacrificar en tu lugar. ¡Es tu sacrificio y de nadie más!

Notas

_____

_____

_____

_____

_____

_____

_____

_____

_____

La auxiliadora

"*Y* *el Señor Dios dijo: No es bueno que el hombre esté solo; le haré una ayuda idónea*" (Génesis 2:18).

Hay mucha controversia respecto al asunto de la creación de la mujer. Es una pena que muchas mujeres, especialmente las que se dicen cristianas, no entiendan el verdadero papel de la esposa. Algunas son rudas hasta el punto de afirmar que nuestra creencia proviene de una era medieval en la que la mujer no tenía ningún valor en la sociedad. Yo hasta entiendo su frustración; a fin de cuentas, si no conocen al propio Creador, ¿cómo podrían entender su papel?

Cuando Dios creó la mujer, Él dejó bien clara su función: Él la creo para que auxiliase al hombre. El objetivo de la mujer debería ser el de adecuarse y ayudar a su marido durante todos los días de su vida. Ella tiene todas las cualidades necesarias para ayudarlo en todas la áreas: es sensible, cariñosa, cautelosa, graciosa, tierna, bonita, fuerte, auxiliadora y mucho más. No es que Dios prefiera a los hombres o que éstos sean mejores que las mujeres, no permitas que ese pensamiento maligno te confunda acerca de tu valor delante de Dios. Él dice: "*Pues todos sois hijos de Dios mediante la fe en Cristo Jesús. Porque todos los que fuisteis bautizados en Cristo, de Cristo os habéis revestido. No hay judío ni griego; no hay esclavo ni libre; no hay hombre ni mujer; porque todos sois uno en Cristo Jesús*" (Gálatas 3:26-28). Tanto el hombre como la mujer son especiales para Dios. La única diferencia entre ellos es la función que cada uno ejerce delante de Dios: el hombre debe glorificar a Dios y la mujer debe ayudar a su marido a glorificar a Dios. Ambos tienen el mismo objetivo, pero diferentes papeles, formando un equipo imbatible.

Imagínate si en el colegio todos los profesores enseñasen la misma materia... ¿Cómo ese equipo de profesores podría marcar cualquier diferencia en la vida de un niño? Tiene que haber uno que sepa enseñar matemáticas y otro que sepa enseñar lengua española. Ambos son igualmente importantes para nosotros, aunque posean diferentes funciones. Ambos tienen el mismo objetivo: enseñar. Así también es el matrimonio: ¡un equipo con un objetivo único de glorificar a Dios! Una persona soltera puede glorificar a Dios pero, unida a su otra mitad, puede glorificarlo todavía más. No solamente porque los dos pueden hacer más, sino porque uno puede ayudar al otro.

Todas las mañanas, al despertar, deberíamos preguntarnos a nosotras mismas cómo podemos ejercer nuestro papel de esposa dentro de nuestro matrimonio. Cuando una persona reconoce su papel, Dios la bendice. Y esto no sucede sólo con las mujeres casadas con hombres de Dios sino, por encima de todo, con aquéllas que están casadas con hombres que todavía no son de Dios. Un marido que no es de la fe necesita mucha ayuda de su mujer convertida, pues ella será un instrumento en las manos de Dios para llevarlo a la salvación.

Apreciada amiga, sé sabia. ¡Haz tu papel y se encajará perfectamente en el plan que Dios hizo para ti!

Notas

¡Qué cuerpazo!

$\mathcal{S}$ abes cuál es el mayor obstáculo que la mujer tiene que enfrentar después de casarse?

Si estás soltera, ya debiste de haber pensado en eso. Si todavía no lo pensaste, deberías. Si estás casada, ¡probablemente ya preparaste una lista! ¿Adaptación? ¿Sacrificios? ¿Aceptación? Una sola palabra resume todo: Sumisión. Tal vez diga: "¡Ah, no! ¡Ya está de nuevo! ¡Es eso exactamente! Yo sé que estamos en pleno siglo XXI y que las mujeres cambiaron bastante con el paso del tiempo; sé también que somos iguales a los hombres, pero la sumisión no tiene nada que ver con eso. En realidad, debes procurar ser una mujer moderna y hacer todo lo que siempre soñaste; no hay nada malo en esto. Sólo tendrá problemas si la sumisión no forma parte de tu vida.

El hombre es la cabeza, la mujer el cuerpo. Es justo que uno sea el cuerpo; en caso contrario, serían dos cabezas sin cuerpo. Creo que no sería nada bueno, ¿no te parece? La cabeza guía al cuerpo a hacer todo lo que desea y el cuerpo, armoniosamente, obedece – a no ser que el cuerpo tenga algún problema físico o que la cabeza esté mentalmente desequilibrada; en caso contrario, los dos trabajan muy bien juntos. Mi cuerpo y mi cabeza no se enfadan ni tienen falta de entendimiento; al contrario, mi cuerpo quiere hacer lo que mi cabeza manda y mi cabeza quiere cuidar de mi cuerpo, y jamás haría nada para dañarlo. La verdad, mi cabeza sacrifica para que mi cuerpo pueda estar confortable, y viceversa.

Ésa era la idea original del matrimonio. Cuando Dios creó el matrimonio, Su intención era establecer al hombre como autoridad para que pudiese cuidar de la mujer, y no hacerla inferior. Él sabe que cuando se obedece esa regla, el marido siempre acaba atendiendo los deseos de la esposa, a fin de cuentas, es su placer hacerla feliz. Es triste ver a tantas mujeres desafiando a sus maridos, como si no necesitasen de una cabeza. No consiguen imaginarse siendo sumisas a un hombre, por eso enfrentan problemas constantemente en el matrimonio. ¿Será que ninguno ve dónde está el problema? ¡Es como si fuese un cuerpo con dos cabezas que no funciona de cuello para abajo!

La Biblia está llena de pistas que llevan al éxito en el matrimonio, aun así, las personas insisten en ignorarlas, como si la insumisión estuviese llevándolas a algún lugar – realmente es así, aunque no las lleve hacia donde ellas desean.

Forma parte de la naturaleza del hombre sentirse responsable por su mujer; por eso, cuando se siente amenazado por la independencia o por el feminismo de ella, se queda frustrado – y yo no lo culpo. El marido fue la primera autoridad establecida por Dios en la tierra – antes incluso de los obispos, pastores, presidentes, gobernadores y todas las demás autoridades que puedas considerar. Y eso no es todo: él fue hecho a semejanza de Dios; es como si nuestros maridos representasen a Dios para nosotras. Por otro lado, fuimos creadas por Dios a través del hombre y para el hombre (Génesis 1:26; 1 Corintios 11:7).

No somos menos importantes que los hombres, pero fuimos creadas a partir de la creación, y no del Creador. ¿Será que eso significa algo para ti? Tu marido es el representante de Dios en tu casa y cuando tú no te sometes a él, estás desafiando al propio Dios.

Notas

El lugar de la esposa

$\mathcal{M}$uchos matrimonios acaban en divorcio por un problema muy común llamado "intercambio de papeles". El marido vive en función de sus muchas ambiciones y sueños, mientras que la esposa quiere controlar la vida de todos de una sola vez: la suya, la de su marido y la de sus hijos. Es exactamente ahí donde el matrimonio y la familia se transforman en un verdadero caos.

Dios nos enseña a través de Su Palabra, diciendo: *"Las mujeres estén sometidas a sus propios maridos como al Señor. Porque el marido es cabeza de la mujer, así como Cristo es cabeza de la iglesia, siendo Él mismo el Salvador del cuerpo. Pero así como la iglesia está sujeta a Cristo, también las mujeres deben estarlo a sus maridos en todo"* (Efesios 5:22-24). Someterse no significa convertirse en una esclava o en un felpudo, y sí permitir que nuestros maridos tomen la decisión final. A fin de cuentas, ¿imagine si no hubiese primeros ministros, presidentes, gerentes, supervisores, directores y todos aquéllos que tienen la responsabilidad de dar la última palabra en diversos asuntos de nuestra vida cotidiana? ¡Sería una confusión todos los días y en cualquier lugar!

La esposa es definida como la iglesia, que representa el cuerpo. El cuerpo está sujeto a la voluntad de la cabeza, trabaja en sumisión a todo lo que la cabeza decide y desea. Cuando está enfermo, la cabeza también se siente enferma. Cuando tiene gripe, la cabeza también se siente mal. Lo recíproco también es verdadero: Cuando la cabeza está feliz, ¡el cuerpo salta y baila! Cuando la cabeza quiere alguna cosa, el cuerpo se sacrifica para conseguirla. Uno necesita del otro y éste es el misterio de Génesis 2:24, que dice: *"Por tanto el hombre dejará a su padre y a su madre y se unirá a su mujer, y serán una sola carne."* Ser uno es comprender, estar de acuerdo y vivir en paz el uno con el otro, y no lo contrario. Muchas mujeres no entienden eso y acaban siendo infelices e incompletas. Y como si no fuese suficiente, sus hijos crecen teniendo la misma rabia y falta de creencia respecto al matrimonio. No nos sorprende el hecho de que haya tantas madres solteras jóvenes hoy en día.

Una vez, una señora me envió un e-mail diciendo que, para mí, era fácil decir tales cosas porque estoy casada con un hombre de Dios. ¿Cómo podría ser ella ese tipo de esposa si su marido estaba siempre borracho y nunca traía dinero a casa? Bien, ¿qué decir entonces de 1 Pedro 3:1,2? *"Vosotras, mujeres, estad sujetas a vuestros maridos, de modo que si algunos de ellos son desobedientes a la palabra, puedan ser ganados sin palabra alguna por la conducta de sus mujeres al observar vuestra conducta casta y respetuosa"*. Ese temor no significa tener miedo de su marido, sino tener temor a Dios en su corazón para practicar Su Palabra como una buena esposa, madre y ama de casa. Un marido que ve a su mujer hacer cosas que él no hace, acabará sintiéndose culpable (esto es, si él es humano) y empezará también a cambiar su comportamiento respecto a ella.

La felicidad en el matrimonio existe y está a disposición de aquéllas que están preparadas para sacrificar sus propios deseos y su orgullo con el fin de ejecutar sus debidos papeles. Cuando el marido y la mujer saben cuáles son sus papeles dentro del matrimonio, todo queda en su debido lugar y empiezan a ser aquel matrimonio feliz que siempre soñaron desde que se vieron la primera vez.

Notas

_____

_____

_____

_____

_____

_____

_____

¿Tiene límites la sumisión?

S i tu marido no te permite tener amigos, debes simplemente someterte a esa imposición? ¿Si vive pidiéndote que solicites un préstamo, pero nunca ayuda a pagarlo, tienes que sujetarte a ese trastorno? ¿Si tu marido te hiere físicamente, te obliga a trabajar y a hacer todo el trabajo doméstico, aun así, tienes que someterte? ¿Si te obliga a quedarte sola en tu habitación siempre que recibe a sus amigos en casa simplemente porque no quiere que los veas, tienes que aceptar?" Esas preguntas me las envió una mujer que parece ser una esposa muy triste y frustrada. Debido al gran número de e-mails semejantes, me quedé pensando hasta qué punto una esposa debe sujetarse al marido. Creo que es hora de escribir algo sobre el asunto.

Someterse al marido es una tarea casi siempre muy difícil, especialmente si él no se parece en nada a nuestro Señor Jesús. Sin embargo, un marido incrédulo, es decir, no cristiano, necesita que su mujer sea lo suficientemente cristiana como para que él llegue a convertirse en un hombre de Dios algún día. Es necesario que él vea algo en su esposa diferente a todas las demás mujeres del mundo. ¿Qué diferencia es ésa? ¿Será su amor? Creo que no, porque muchas mujeres incluso morirían por amor. ¿Qué tal su belleza? ¿Su amistad? Tampoco. ¡Eso cualquiera puede ofrecerlo! La diferencia es la sumisión. En la realidad, ninguna mujer en el mundo consigue ser sumisa a menos que viva según la Palabra de Dios. Ahora bien, eso no significa que la esposa deba someterse hasta el punto de hacerse daño, perder su fe o, incluso, destruir a su propio marido. Hay límites respecto a la sumisión de la esposa en relación a su marido – y lo digo no para ir contra la Palabra de Dios, sino para aplicarla íntegramente.

Dios nunca dice que las esposas deben ser tratadas como esclavas y jamás despreció a los seres humanos. Él no es un Dios cruel que desea que hagamos algo para hacernos daño o morir. Tenemos que conocerlo para que podamos entender Su Palabra. Él creó la mujer para ser la auxiliadora del hombre. Si tu marido te hiere físicamente, es tu deber ayudarlo buscando consejo profesional – lo que puede significar denunciarlo a la policía y haciéndoles saber que tu vida está o ha estado en riesgo. Puede incluso parecer que actuando de esta forma lo estarás perjudicando, pero, la verdad es que esto va a ayudarlo a cambiar. Imagina por un instante que tú no quieres buscar ayuda profesional y que él continúa agrediéndote hasta que, un día, te mate. ¿No sería eso mucho peor? Imagina ahora que él no trabaja y tú te ves forzada a sustentar la casa. Mira bien que, si él no estuviera trabajando debido a una situación que está fuera de su control, entonces, es tu deber ayudarlo de la forma que puedas; sin embargo, si él no estuviera trabajando por mera comodidad, tú no le estarás ayudando en nada pagando las cuentas y proveyendo sustento a la familia, ¿o sí? ¡Para con esa cosa absurda! Deja que la brevedad de sus recursos le coloque en una inevitable y desesperada situación que lo fuerce a buscar trabajo. Tenemos que someternos, pero no debemos ser tontas hasta el punto de destruir a nuestros maridos o nuestra fe en Dios. Sométete solamente si es para ayudar; en caso contrario, tu sumisión puede destruir todo por completo.

Notas

_____

_____

_____

_____

_____

_____

_____

La base de tu matrimonio

$\mathcal{M}$antener una relación íntima con alguien significa compaginar todo lo que tú eres con esa persona. Es más que una simple relación física – es entregarse totalmente a alguien. Ese tipo de relación es esencial en el matrimonio y nunca debe ser menospreciada. Es triste oír que matrimonios debidamente casados, y en la iglesia, no disfrutan plenamente de esa área del matrimonio. Debo enfatizar la importancia de esa intimidad en el matrimonio, pues se trata de la base. Si no está yendo bien, nada en su matrimonio irá bien. La unión y la amistad entre el hombre y la mujer dependen mucho de la intimidad entre ellos.

Algunas mujeres piensan que ese asunto es irrelevante y de la "carne". Me quedo imaginando de dónde sacarán ellas esa idea, ya que la Biblia anima a la intimidad física en 1 Corintios 7:4,5: *"La mujer no tiene autoridad sobre su propio cuerpo, sino el marido. Y asimismo el marido no tiene autoridad sobre su propio cuerpo, sino la mujer. No os privéis el uno del otro, excepto de común acuerdo y por cierto tiempo, para dedicaros a la oración; volved después a juntaros a fin de que satanás no os tiente por causa de vuestra falta de dominio propio."*

La intimidad física con tu marido es algo que Dios creó a fin de que vosotros dos os convirtáis en uno. Dios no habría creado algo malo o carnal. Cuando esa área del matrimonio está activa, el matrimonio es, de hecho, una bendición. Tanto el marido como la mujer se sienten más unidos el uno al otro, avivando el matrimonio en vez de caer en la rutina. Cualquier problema o pregunta que surja puede ser superado debido al fuerte vínculo entre los dos. Se despiertan por la mañana preparados para enfrentar un día más. Ambos no ven la hora de encontrarse nuevamente y, cuánto mayores son, su unión es más fuerte – ¡al contrario de lo que muchos piensan! Uno sólo tiene ojos para el otro, pues viven una vida plena.

Cuando la mujer es sabia y entiende la importancia de la intimidad en el matrimonio, nunca está demasiado cansada u ocupada para su marido. Al contrario, se prepara para ese momento especial con él, convirtiendo esa ocasión en un momento muy esperado todos los días. Cuanto más se conocen, más unidos están, haciendo que sea casi imposible que algo o alguien interfiera en su relación.

El marido que es realizado en su matrimonio será realizado en cualquier otra área de su vida; sin embargo, lo contrario también es verdad. Los maridos que no están realizados en ese área están frustrados y se vuelven presas fáciles para las tentaciones del diablo.

Esfuérzate para tener éxito en tu matrimonio, dando lo mejor que tienes. A fin de cuentas, si la vida íntima es la base de tu matrimonio, ésta debe ser inmaculada. *"Sea el matrimonio honroso en todos, y el lecho matrimonial sin mancilla"* (Hebreos 13:4).

Notas

Lo que realmente le importa a una esposa

Existe algo que todo hombre debería saber sobre su mujer. No se trata de otra complicada característica de la mujer, sino de algo que toda mujer desea recibir de su marido. Es una cosa que todo hombre tiene dentro de sí mismo pero que, simplemente, no sabe usar: AMOR.

Decir que la ama y que por eso que se casó con ella, pagar las cuentas y volver a casa todas las noches, no es suficiente. Una de las principales enseñanzas de la Biblia respecto a los maridos es que éstos deben amar a sus esposas. Dice así: *"Así también deben amar los maridos a sus mujeres, como a sus propios cuerpos. El que ama a su mujer, a sí mismo se ama"* (Efesios 5:28). Este versículo describe muy bien el tipo de amor que toda esposa quiere: El amor que cuida, que protege, que es suave, cariñoso y, por encima de todo, que comprende. ¿No es eso lo que todo hombre hace por su cuerpo? ¿Cuántos no son los hombres que comen hasta quedar obesos solamente para satisfacer sus estómagos? ¿O, entonces, preocupados con su apariencia, y se quedan horas en el gimnasio? Unos se quedan endeudados sólo por comprarse un traje nuevo. De varias formas, los hombres son capaces de demostrar el amor que tienen por sus cuerpos y, aún así, ¡no saben cómo amar a sus mujeres! El amor es más que un gesto aislado; debe demostrarse todos los días. Así como el hombre ama su propio cuerpo y cuida de él diariamente, también debe amar a su mujer. No estamos pidiendo mucho, solamente lo que nos fue prometido. ¿Te acuerdas de tus votos de matrimonio?

Dios creó a la mujer para auxiliar y completar al hombre y, a cambio, él debe cuidar de ella y darle todo el amor, protección y atención que necesita. Muchas mujeres no reciben este tipo de amor de sus maridos y viven preguntándose qué hicieron mal. Ellos usan el tiempo que tienen para quedarse a solas a ver la televisión, leer un libro o jugar con la Play Station. ¿Cómo puede alguien cambiar los brazos amorosos de una mujer por eso? Más tarde, en los últimos minutos del día, ellos están demasiado cansados para divertirse con ellas.

No es sin ton ni son que muchos hombres no entienden a sus mujeres. ¡La verdad es que ellos ni lo intentan! Una mujer puede completar verdaderamente a un hombre, pero si no existe amor por su parte, ella se sentirá incompleta y no conseguirá satisfacerlo. Para una mujer el amor es tan simple como $1 + 1 = 2$. Amar forma parte de la naturaleza femenina. Por eso, la Biblia no enfatiza que las mujeres deben amar a sus maridos; para los hombres, sin embargo, el amor puede incluso ser olvidado o dejado de lado; ellos aman, pero no tienen tiempo para demostrarlo.

Algunos no entienden por qué es tan difícil para sus mujeres tener una buena relación con sus familias. No se dan cuenta de que ellas no son vistas como su primer amor, pero sí, como el amor que ven después de la madre, del padre, de los hermanos, de las hermanas, etc. La mujer quiere ser la primera (después de Dios, está claro), y Dios está de acuerdo con ella. Él dice desde el comienzo *"Por tanto el hombre dejará a su padre y a su madre y se unirá a su mujer, y serán una sola carne"* (Génesis 2:24).

Resumiendo, lo que realmente le importa a la mujer es el amor que su marido demuestra en todo lo que hace para ella. Si no se demuestra, no es suficiente.

Notas

_____

_____

_____

_____

_____

_____

En el límite del agotamiento

Hora de ir a casa. Él inmediatamente se acuerda de su mujer con aquella cara de enfado de cuando salió de casa por la mañana – ¡la misma que un día era tan amable! Se siente tentado de no volver a casa y esa tentación se vuelve más fuerte cada día, pues la situación parece no cambiar nunca. Se acuerda de lo diferente que era todo cuando se conocieron. Era la mujer de sus sueños y, repentinamente, se enamoró de ella. "¿Qué pasó con aquel amor que un día compartíamos?" Se pregunta una y otra vez, pero no encuentra la respuesta.

El sabio Salomón, casado con mil mujeres, dice que las peleas con las mujeres son como un goteo continuo (Proverbios 19:13). ¿Sabes aquel barullo irritante de la gotera? ¡Es eso mismo!

Una de las cosas que, verdaderamente deja al hombre de mal humor es precisamente el mal humor de su mujer. Él puede pasar por muchos problemas y sobrevivir a todos ellos con su propia fuerza, pero una esposa difícil es un desafío que la mayoría de los hombres no consigue superar.

Ella piensa que siempre fue así y que, si él le ama de verdad, debe acostumbrarse a eso. Además de eso, en su interior todo lo que quiere es que él reconozca sus propios errores y humildemente le pida perdón. El problema es que él no los ve y no consigue entender lo que ella quiere. Entonces, continúan viviendo ese matrimonio como si fuese una carga. Ella no demuestra interés en saber cómo le fue el día y él pasa su tiempo en casa viendo la televisión hasta que sus ojos no aguantan más. Ella se irrita por el hecho de que él no le pregunta qué ha hecho mal; como también, él odia tener que llegar a casa y verla con aquella cara amargada día tras día. ¿Hasta cuándo? Ésa es la pregunta clave.

Está claro que ambos están equivocados y que necesitan cambiar; mientras tanto, estoy aquí escribiendo para las mujeres, por eso, aquellas que tengan oídos para oír y ojos para leer, continúen leyendo. Imagínate en la situación de tu marido. ¿Eres una esposa agradable? Si no lo eres, ¿cómo puede él querer quedarse contigo? Tu cara enfadada no ayuda para nada – sólo empeora la situación. Tu marido, como la mayoría de los hombres, probablemente no consigue ver las señales que le has dado. Él no es sensible como nosotras y su habilidad para entender a las mujeres es naturalmente muy pequeña. Seamos sinceras: A veces, somos muy difíciles. No es de extrañar que la Biblia diga: *"La mujer sabia edifica su casa, pero la necia con sus manos la derriba"* (Proverbios 14:1). Observa que la Biblia dice que es la mujer quien edifica la casa, no el hombre. Cuando llevas a tu marido al límite de la extenuación, estás derrumbando tu casa con tus propias manos.

Notas

_____

_____

_____

_____

_____

_____

_____

_____

_____

_____

¿De Marte?

S i fueras capaz de entender la naturaleza de los hombres, tendrías todo lo que deseas como esposa. ¡Él va a realizar todos tus deseos y a hacerte la mujer más feliz del mundo! ¡El problema es que muchas mujeres piensan que ellos son de Marte! Intenta conversar, pero él no le presta atención; intenta hacerlo entender, pero parece que se negase a verlo. Eso hace que se sienta completamente fuera de su mundo. Es por eso que existen tantos libros sobre este asunto. Las personas intentan de todo, pero no consiguen obtener ningún resultado porque no se trata de psicología o estudio. Es una cuestión de la naturaleza, de cómo fue creado.

En Génesis 2:18-24, puedes leer sobre la creación de la mujer. Adán, no pudiendo esconder la tremenda alegría que sentía, dijo: *"Ésta es ahora hueso de mis huesos y carne de mi carne"* (Génesis 2:23). Es interesante darse cuenta de que, aunque había sido creada a imagen y semejanza de Dios, la mujer fue sacada del hombre. Esto debería significar algo para nosotras. Si eres madre, naturalmente espero que tu hijo te respete, incluso sabiendo que no tienes respuestas para todas las preguntas. Es absurdo que una madre sea despreciada por los propios hijos. Es ahí donde entra el hombre: ¿Cómo puede su mujer, "hueso de sus huesos" faltarle al respeto? A tus ojos, esto es absurdo. Imagínate siendo hecha para completar a un hombre y, en vez de cumplir tu papel, tú lo apartas de todo aquello que lo hace sentirse especial: su masculinidad, liderazgo y responsabilidad como jefe de familia.

Lo que tu marido tenía en mente cuando se casó contigo era tener a su lado a una persona con la que pudiese compaginar su vida entera. Y lo que probablemente tenías en mente cuando te casaste era tener a alguien que cuidase de ti. Pero, ¿cómo puede él cuidar de ti si no le respetas? ¿Cómo puede ser tu compañero para toda la vida si no consigues aceptar lo que te dice? Un marido cuya esposa no tiene este entendimiento se siente inútil; es como si no estuviese cumpliendo su papel. Muchos salen a buscar algo que pueda aliviar ese peso. Algunos intentan ocupar el tiempo con la musculación, deportes, trabajo, etc. Otros prefieren relacionarse con mujeres que los vean con otros ojos...

Entiendo que a veces es difícil someterse. Yo ya pasé por eso. Me acuerdo de una vez que decidí no decir nada, sabía que él estaba equivocado y que tenía motivos para discutir, pero preferí someterme y dejar que Dios me honrase a través de mi obediencia a Su Palabra. Aquel mismo día, fue como si mi marido me debiese algo, hizo de todo para agradarme y me sentí como una princesa. Si hubiese escogido la opción más obvia no habría sido tan mimada después; al contrario, me habría metido en más problemas y discusiones. Es por eso que la Biblia dice: *"La mujer sabia edifica su casa, pero la necia con sus manos la derriba"* (Proverbios 14:1).

Notas

_____

_____

_____

_____

_____

_____

_____

_____

_____

Cambiando al marido

*T*e casaste con el hombre que tanto amabas, pero hay algunas cosas en él que necesitan cambiar. Entonces, intentas hablar con él pero, cuanto más hablas, él menos oye. A veces, parece que él se niega a cambiar solamente para contrariarte y te quedas imaginando si es posible que tu marido cambie de alguna forma. Entonces, consideras lo que ya sabes: Hablar no funciona. Lo intentaste varias veces y de nada ha servido. La verdad es que hablar puede incluso empeorar la situación, pues algunos maridos continúan haciendo aquello que sus mujeres odian, solamente para que ellas entiendan el mensaje y dejen de decirles lo que deben hacer.

Para conseguir atraer la atención de tu marido debes primero impresionarlo; en otras palabras, primero tienes que cambiar tú. Solamente cuando seas la persona que él necesita, él se sentirá obligado a cambiar también. Ése es el secreto de un matrimonio bendecido. La mujer cambia primero y, debido a eso, su marido cambia después y viven felices para siempre. Ese concepto es muy sencillo, pero la mayoría de las personas no consigue entenderlo... Hay muchas mujeres que piensan que eso es una injusticia y que el único que necesita cambiar es el marido y ésta es la razón por la que existen tan pocos matrimonios realmente felices. Unos prefieren vivir de apariencias; otros, ya ni se preocupan más por disimular la infelicidad de sus matrimonios. A nadie le gusta cambiar, a nadie le gusta sacrificar. Es difícil, pero es el precio que tenemos que pagar para disfrutar de las cosas buenas de la vida.

Cuanto más esperes a que tu marido cambie, más esperará él a que cambies tú; de esta forma, la situación permanecerá de la manera en que está, si no se vuelve peor. Recuerda que somos adultos y no niños. Los niños normalmente piensan así: "Si tú me das primero, entonces yo te doy; pero si tú no me das, yo no te doy..." Esta actitud infantil no tiene sitio dentro de un matrimonio responsable. Tu marido aún puede ser el hombre de tus sueños, tan sólo si usas tu inteligencia.

De esta manera, ambos brillaréis y tu matrimonio estará iluminado. Dios necesita que te aproximes a tu marido, pero ¿cómo puede Él usar a una mujer que es más cobarde que el propio marido? ¿Cómo puede Él ser glorificado en una esposa que está siempre refunfuñando y con cara de enfado? Usa tu fe inteligente, pues es la única manera de que obtengas resultados positivos.

Ve en tu fe, pues sin sacrificio no hay "fuego" – que es la clave del matrimonio.

Notas

_____

_____

_____

_____

_____

_____

_____

_____

_____

_____

Sea lo que sea

ℳ as mujeres son malentendidas por los hombres constantemente, y viceversa. No es que uno haya venido de Marte
y el otro de Venus, es que fuimos creados diferentes, para que uno
complete al otro. Tú jamás podrías completar un rompecabezas si
todas las piezas fuesen iguales. Ésta es la belleza del matrimonio:
Somos diferentes el uno del otro; aun así, fuimos hechos el uno
para el otro.

Existen muchas maneras de ser comprensibles, incluso no entendiendo al otro en absoluto. Ésta es la parte más difícil del matrimonio pero, una vez que tú cumples esta tarea, el resto es fácil.
Algunos matrimonios tardan años en llegar a esa etapa y algunos
acaban separándose, pues son incapaces de entenderse. Por eso,
decidí hacer una pequeña lista de cosas que pueden facilitar mucho la convivencia de un matrimonio. Son estas:

1. Ponte en su lugar. Es muy fácil criticar a una persona cuando no
sabes lo que le está pasando. Muchos maridos esperan mucho de sus
mujeres; muchas esposas esperan toda la atención de sus maridos,
cuando en todo lo que ellos consiguen pensar es en lo que harán
para pagar el alquiler. Si tú consigues imaginarte en el lugar de tu
marido, probablemente conseguirás entenderlo y ayudarlo mejor.

2. Pon tu orgullo de lado. Esta característica del ser humano es la
clave para la infelicidad en la vida sentimental. El orgullo nos impide ver nuestros propios errores, no conseguimos perdonar y somos
capaces de guardar rencor para siempre y no reconciliarnos nunca.
Para que seamos felices, tenemos que lanzar nuestro orgullo a la
basura – punto final. Un matrimonio con orgullo no funciona, nunca funcionó y nunca funcionará. Si quieres entender a tu marido,
ésta es la primera tarea en tu lista de quehaceres.

3. Sé honesta y conversa. No esperes a que él tome la iniciativa para resolver un malentendido. Sé la primera en hablar sobre el problema, pon las cartas sobre la mesa, sé transparente. Sólo así, él te entenderá. En general, los hombres esperan que sus mujeres perciban lo decepcionados que están; las mujeres, por su parte, esperan que sus maridos perciban lo infelices que son. El único problema es que las mujeres no reconocen que están equivocadas y los hombres no entienden lo que pasa con sus mujeres. Por eso, sé honesta, dile lo que estás sintiendo.

4. Habla en el momento adecuado. Espera el momento apropiado para preguntar o conversar con tu marido. No importa cuánto os améis, si el asunto es discutido en el momento equivocado, acabaréis peleando. Sé sabia y escoge el momento oportuno para hablar sobre finanzas o cosas que necesitas o que te gustaría tener. Muchas son las mujeres que, por no saber esperar hasta el día siguiente, se quedaron solas el resto de su vida.

5. Da una oportunidad a Dios. Él os entiende a los dos.

Notas

_____

_____

_____

_____

_____

_____

_____

_____

_____

Esposas frustradas

$\mathcal{L}$ a mujer que tiene su vida arruinada por el marido se convierte en una mujer frustrada y traumatizada con el matrimonio. Su deseo ya no es el de agradarlo, sino vivir en función de sí misma – lo que, en cierta manera, parece ser la mejor opción teniendo en cuenta lo que ha pasado. Cuando escucha que su papel como esposa es el de agradar a su marido, ya es casi demasiado tarde para que pueda aceptar y poner en práctica este concepto, pues su experiencia con el matrimonio se resume en abuso y comportamiento trastornado.

Algunas mujeres sufren abusos verbales y físicos. Sufren por los fracasos y vicios incontrolables de sus maridos. La peor hora del día es cuando el marido llega a casa, ya que es difícil prever su humor. Y cuando los hijos están presentes, se siente todavía más abusada y humillada. Por más que lo intente, no consigo imaginar lo que esas mujeres sienten. Yo nunca lo voy a saber, pues la experiencia que ellas tienen respecto al matrimonio es completamente diferente a la que yo he vivido. Aunque mi matrimonio no haya sido siempre un mar de rosas, yo nunca me sentí avergonzada o frustrada; al contrario, mi matrimonio me ayudó a madurar e incluso a aproximarme a Dios, pues ésta es la única fuente 100% correcta. Aun así, hay esposas que piensan que la Palabra de Dios no se aplica a los días de hoy y la cuestionan como si fuese un libro obsoleto del siglo XVII. La frustración continúa día tras día sin que haya una solución y, la única salida, es el divorcio. ¿Será cierto? ¿Crearía Dios una institución tan santa con tantos fallos? ¿Por qué algunos matrimonios salen bien y otros no? La solución de los problemas del matrimonio nunca es el divorcio. Si fuese así, entonces podríamos afirmar que ¡la solución para un enfermo terminal es la muerte! Nadie mata a una persona porque esté a punto de morir. Al contrario, unos usan la fe para que esa persona sea curada; otros usan la esperanza; unos investigan o viajan hasta el otro lado del mundo en búsqueda de la curación y, otros, intentan quedarse con el enfermo lo máximo que pueden antes de que se vaya.

Dios creó el matrimonio para que fuese una alianza entre un hombre y una mujer. Ellos permanecerían juntos y serían uno mientras viviesen, pero eso no significa que no habría problemas. Basta con compararlo con nuestra alianza con Dios: Ésta exige renuncia y perseverancia, pero vale la pena. A cambio, tenemos todo lo que Dios nos ofrece. Lo mismo sucede en la alianza del matrimonio: Si hay perseverancia y renuncia de las propias voluntades, ambos evitarán muchos problemas y malentendidos en la relación.

Notas

_____

_____

_____

_____

_____

_____

_____

_____

_____

Errores típicos de las mujeres

$\mathscr{D}$ ejar de ser una mujer soltera e independiente para ser una esposa, no es tan fácil como parece. Muchas mujeres malamente pueden esperar el día en que se pondrán aquel largo vestido blanco y se verán como la novia más bonita que haya existido. Pero, el matrimonio es mucho más que un lindo vestido blanco o tener a alguien que te haga compañía al llegar a casa. El matrimonio es una alianza que no puede ser quebrada y debe durar hasta el día en que mueras. He visto muchos matrimonios jóvenes luchando para mantenerlo, como si el sueño de un matrimonio feliz estuviese todavía por realizarse en sus vidas.

Siendo así, me gustaría hacer una lista con los ocho errores típicos que toda esposa debería evitar:

1. Catalina, la criticona

A muchas mujeres les gusta criticar a sus maridos. Aunque ellas tengan el instinto de ayudarlos, no es así como enfrentan la situación. Los hombres tienden a sentirse inferiores cuando son criticados por sus mujeres. Lo opuesto funciona mucho mejor – si tú lo elogias de vez en cuando, su propio ego le llevará a hacer cosas que él jamás pensó que podría. Es así como la mujer levanta a su marido.

2. Paula, la prejuiciosa

Ese tipo de esposa no simpatiza con los quehaceres de la casa. Detesta sentirse como una empleada doméstica; por eso, no hace nada dentro de casa. Una buena ama de casa no va a exigir que su marido haga lo que ella debería hacer. Imagina ¿si el marido decidiese exigir de ella el sustento de la familia? Es cierto que muchas mujeres trabajan para ayudar a sus maridos pero, aun así, es suya la responsabilidad de mantener la casa limpia, la comida en la mesa, la ropa limpia y planchada y, al final del día, todavía tener una vida íntima activa. Hay muchos hombres que acaban abandonando a sus mujeres porque encuentran en otras mujeres aquello en lo que sus mujeres fallan.

3. Sara, la sentimental

Todo marido necesita una esposa que sea fuerte. Alguien que esté preparada para cualquier situación, que pasa por problemas pero, aun así, es la misma que cuando todo estaba bien. Mujeres que son muy sentimentales convierten a sus maridos en seres solitarios y frustrados. Lloran por cualquier motivo. Si se les llama la atención parecen el Río Amazonas a punto de desbordarse... Sus maridos las tratan como si fuesen de cristal, cargando sobre sus propios hombros todo el peso de la responsabilidad.

4. Tatiana, la temperamental

Este tipo de mujer es como la ola del mar: Ahora está encima, al momento está debajo; ahora va hacia la derecha, al otro instante está yendo hacia la izquierda. La convivencia es difícil porque nunca se sabe cómo se siente. Su humor variable aparta a su marido. Cuando él piensa en ella durante el día, en vez de imaginar lo bueno que sería tenerla a su lado en aquel momento, piensa en lo que puede hacer después del trabajo para no tener que volver a casa muy pronto.

5. Claudia, la celosa

Ésta tiene celos de todo y de todos lo que se acercan a su marido – hasta de sus propios padres. La mujer que tiene celos del marido es insegura y, eso, a ningún hombre le gusta. Como hablamos anteriormente, a los hombres les gusta tener a su lado mujeres que sean suficientemente fuertes y seguras como para pasar por cualquier situación y, aun así, permanecer firmes hasta el final. La mujer debe cuidar de su marido, pero no puede llegar hasta el punto de tener ese sentimiento pecaminoso llamado celos.

6. Celia, la enfadada

Es una mujer constantemente irritada, que pierde la paciencia por cualquier cosa, haciendo que todos a su alrededor se sientan incómodos. Como dice la Biblia: *"Mejor es habitar en tierra desierta que con mujer rencillosa y molesta"* (Proverbios 21:19). Ella piensa que las personas no la comprenden. Lo que ella no sabe es que el problema no está en los otros, sino en sí misma.

7. Ivonne, la independiente

Piensa que sólo necesita del marido para cumplir con las formalidades sociales, pues causará una buena impresión estando al lado de un hombre. Su vida es un misterio para él, pues siempre se pregunta por qué cayó en esta trampa. El matrimonio es una unión de mentes, de deseos, de ideas, etc., y cuando uno de los cónyuges no entiende que los dos se convirtieron en un solo cuerpo, difícilmente serán felices.

8. Ofelia, la ocupada

Es aquella esposa que nunca tiene tiempo para ocuparse de las cosas del marido. Algunas se vuelven tan atareadas con su trabajo y con los hijos que acaban poniendo el matrimonio en segundo lugar. ¿Cómo puede una mujer estar tan ocupada que no le sobre tiempo para cuidar del área más importante de su vida? ¿Cómo serán felices sus hijos y estarán satisfechos si sus padres están separados? ¿Cómo puede querer tener éxito y ser rica, pero sola? ¿Qué sentido tienen sus obras de caridad si ella es negligente con su propio marido? Muchas mujeres sufren debido a sus propios errores. Si tan sólo cambiasen su comportamiento y actitudes, verían su matrimonio florecer.

¡Orar no es suficiente! Es necesario también actuar con sabiduría. Hay muchos hombres que hoy frecuentan la iglesia y están salvos debido al cambio en el comportamiento de sus mujeres en casa. Es como dice aquel famoso versículo de la Biblia: *"Asimismo vosotras, mujeres, estad sujetas a vuestros maridos, de modo que si algunos de ellos son desobedientes a la palabra, puedan ser ganados sin palabra alguna por la conducta de sus mujeres"* (1 Pedro 3:1).

$\mathcal{N}otas$

_____
_____
_____
_____
_____
_____
_____
_____
_____
_____
_____

La mujer luchadora

𝒞 ómo podré encargarme de tantas cosas a la vez? Ésta es la pregunta que muchas mujeres tienen en mente. De alguna forma, estamos adiestradas para pensar que siempre tenemos mucho que hacer y que los hombres jamás serían capaces de soportar la presión que nosotras, la mujeres, soportamos en casa y en el trabajo. No es que Dios nos haya creado para ser esclavas, sino que fuimos hechas con el fin de compensar lo que les falta a los hombres, siendo más detallistas, siendo previsoras, organizando nuestro tiempo y embelleciendo todo lo que está a nuestro alrededor. Aun así, si no somos capaces de cumplir con nuestro papel, nos sentimos inútiles y frustradas. Por eso es tan importante que tengamos un control total de nuestra vida en todos los aspectos.

Una de las características más apreciadas en una mujer luchadora es la eficiencia con la que enfrenta asuntos importantes. Es interesante ver cómo es capaz de cuidar de la casa y del trabajo al mismo tiempo y, aun así, terminar el día con una óptima apariencia. No son muchas las mujeres que consiguen lidiar con un estilo de vida agitado. ¡O ellas trabajan, trabajan, trabajan y terminan el día con un aspecto horrible, o se mantienen bonitas sin conseguir terminar sus tareas! Y ése es un gran error, porque ¿cómo podrá Dios prosperar las obras de sus manos si no hay obras? Tiene que haber equilibrio. Además, el equilibrio es esencial en todas las áreas de nuestra vida: espiritual, económica, sentimental, emocional, familiar, etc. Yo ya perdí la cuenta de cuántas mujeres vinieron hasta mí con problemas ocasionados justamente por la falta de equilibrio. Todo se convierte en un caos y la persona acaba perdiendo el control de la propia vida. Pero, la mujer de Dios, tiene siempre el control. No importa lo ocupada que esté, siempre tiene tiempo para Dios, para sí misma, para la familia y para el trabajo.

Cuando Dios creó el mundo, no lo hizo de la noche a la mañana o empleó más tiempo del necesario para ejecutar el trabajo. Él hizo todo en su debido tiempo y además, descansó. Fíjate que el Propio Dios designó un tiempo para Su descanso – ¿qué nos dice esto al respecto? Todo lo que Él creó era bueno y perfecto. Nada quedó incompleto o mal hecho por haber sido realizado con prisas. En la condición de Sus hijas, debemos hacer lo mismo en nuestra vida. Todo lo que hagamos debe ser bueno y perfecto. Nada debe ser hecho con prisas, de manera que, al mirar hacia atrás, lleguemos a la triste conclusión de que lo podríamos haber hecho mucho mejor. Eso incluye nuestra relación con Dios, nuestra salud, nuestro matrimonio, la educación de los hijos, el cuidado de la casa y de nuestro trabajo.

Nuestra relación con Dios es, muchas veces, perjudicada por el exceso de trabajo, que acaba por impedirnos ir a la iglesia, leer la Biblia e, incluso orar. Muchas mujeres piensan que pueden mantener una relación estable con Dios tan sólo manteniéndose lejos del pecado – ¡ésta es una de las trampas favoritas del diablo contra los cristianos! Cuánto menos vas a la iglesia, menos quieres ir. De repente, comenzarás a frecuentar la iglesia dos veces por semana, y, cuando menos lo esperes, solamente una vez. Más tarde, terminarás usando aquel poco tiempo que acostumbrabas dedicar a Dios para hacer otras cosas y ya no tendrás más tiempo para ir a la iglesia. ¡No es para espantarnos que haya tantas cristianas derrotadas hoy en día!

Nuestra salud es otra área en la que solemos ser negligentes. ¿Cómo podremos ser buenas cristianas, esposas y madres si estamos enfermas? Muchas mujeres se ponen enfermas por descuido. Bastaría con que se abrigasen cuando salen al frío, que evitasen andar descalzas en el suelo frío, que prefiriesen pagar el recibo de la electricidad o del gas en vez de tener que soportar el frío, o dedicasen un día de la semana simplemente para descansar y recobrar la energía. Quieren hacer tantas cosas que, un día, acaban en la cama, ¡sin condiciones para hacer nada!

El matrimonio es la cosa más importante de nuestra vida después de la salvación. No es solamente una unión legal entre dos personas y sí un compromiso serio y duradero entre ellas. Muchas mujeres se acomodan y no cuidan su matrimonio y sólo despiertan cuando sus maridos ya cayeron en los brazos de otra. Nada ni nadie debe ocupar el tiempo dedicado a tu marido. La Biblia nos enseña que debemos servir a nuestros maridos como al Propio Señor Jesús – eso revela lo importantes que ellos son en nuestra vida. El diablo siempre creará situaciones para entorpecer tu matrimonio, tales como hijos y parientes que se entrometen en tu relación matrimonial. La mujer que es de Dios, jamás permite que alguien o algo interfiera en su vida íntima con su marido. Cuando el matrimonio no va bien, nada va bien. ¿Por qué jugar con algo tan serio?

La educación de los hijos es muy importante también, ser madre no es dar comida a los hijos, ropa para vestir y llevarlos a dormir. Ser madre es estar a su lado siempre que lo necesiten. Cuando el trabajo ocupa el tiempo que pertenece a la educación de los hijos, ellos acaban creciendo y convirtiéndose en personas que nos hacen sufrir. Los problemas, generalmente, comienzan en el colegio y, con el tiempo, se van complicando más y más. No sirve de nada orar por ellos si no estamos cerca cuando más necesitan de nosotras.

El cuidado de la casa puede ser una verdadera carga para algunas mujeres. Trabajan tanto que cuando llegan a casa – a su "segundo trabajo" – se sienten demasiado cansadas para mover tan sólo un dedo. El resultado es: Sirven cualquier cosa para comer, el cesto de la ropa sucia queda desbordado, una montaña de platos sucios acumulados en el fregadero, falta de espacio para sentarse, las cosas tiradas por el suelo... ¿Será que el Señor Jesús viviría en una casa así? ¿Será que tú consigues, de alguna forma, exhalar la presencia de Dios para tus invitados? ¿Consigues sentir la presencia de Dios actuando de esa manera? ¡Tengo la seguridad de que no!

Cuando la Biblia menciona sobre la Casa o Templo de Dios y de Su presencia, los describe de muchas maneras bonitas, y una de ellas es la LIMPIEZA. Pero cuando se refiere al diablo y a los demonios, la Biblia los llama de espíritus INMUNDOS. ¿Será que ahora consigues entender porqué es tan importante incluir tu casa en la lista de quehaceres semanales? Soy consciente de que tener el control no es fácil, pero es totalmente posible. Y si te aplicas, ¡ciertamente te convertirás en la mujer virtuosa y de éxito que Dios planeó!

Notas

_____

_____

_____

_____

_____

_____

_____

_____

_____

_____

_____

La casa de tus sueños

*P*iensa en la tienda más famosa y sofisticada que conozcas. Ahora piensa en aquella tienda menos conocida y nada sofisticada. Además del precio, ¿qué otras diferencias existen entre ellas? Muchas familias emplean todo el día para visitar tiendas famosas. Un simple regalo de una de esas tiendas es capaz de agradar a cualquier persona. Unas comentan, otras envidian... Y, cada día que pasa, son más famosas.

Una casa acogedora es como esa tienda sofisticada y famosa. Tienes el placer de regresar a ella al final de un día agotador de trabajo. Hay momentos en los que incluso prefieres quedarte en casa en vez de comer fuera. Cuando sales, echas un último vistazo hacia atrás sólo para admirarla. Sabes dónde está cada cosa, pues es tu casa, tu espacio propio y tu escondrijo en un mundo tan loco.

Es raro encontrar una casa así en los días de hoy. Además, muchos propietarios tienen serios problemas cuando terminan los contratos. Los niños hacen cualquier cosa por dormir en casa de los amiguitos. Los adolescentes malamente pueden esperar para salir de casa. Los maridos, incluso cansados, encuentran fuerzas para salir del trabajo e ir directo a un bar o una cafetería, y las mujeres, no soportan quedarse en casa todo el día. Así, muchas familias entran y salen todos los días de esa casa ni tan bonita ni tan acogedora.

El secreto de una casa bonita y agradable (además de la presencia de Dios) no puede encontrarse en artículos del hogar y decoración. Es algo muy básico, simple y, muchas veces, no tan agradable de hacer. Estoy hablando de la limpieza. Piensa nuevamente en las tiendas del inicio y verás que:

1. La tienda bonita está limpia y organizada, mientras que la otra está un tanto sucia.

2. La tienda bonita está bien decorada, mientras que la otra no tiene ningún atractivo.

3. La tienda bonita te arrastra hacia adentro, aunque no tengas dinero, mientras que la otra te hace incluso desviar tu mirada.

Tal vez te preguntes: "¿Por qué está limpia?" Bien, cualquier cosa limpia y organizada llama nuestra atención ¿no es así? En determinadas calles nos sentimos inspiradas para hacer fotos; en otras, sin embargo, sentimos una enorme voluntad de coger el primer autobús que aparece e irnos lejos lo más rápido posible.

"¿Por qué está decorada?" La decoración revela la especialidad de la tienda, dándonos una idea de las cosas bonitas que podemos encontrar en ella. "¿Por qué nos atrae?" Porque la belleza atrae mucho más a la gente.

Si la limpieza es tan importante en las calles y en los lugares que frecuentamos ¿qué decir de nuestras casas?

Muchas familias planean su economía en torno al sueño de su propia casa. Sin embargo, cuando la conquistan, no se corresponde con la casa de sus sueños. Poseen la mejor casa, viven en el mejor vecindario, tienen el mejor mobiliario, pero no poseen la casa acogedora y agradable que tanto desean. ¿Por qué? Simplemente porque no les parece que la limpieza sea importante.

La buena ama de casa mantiene su casa limpia y organizada diariamente, asegurándose de que la misma sea acogedora para cuando su familia llegue. Sus hijos tienen placer en invitar a sus amigos. A las personas les gusta visitarla. Su casa es su retrato - ¡bonita, adorable! Al fin y al cabo ¿no es éste su papel?

Notas

_____

_____

_____

_____

¿Es hora de tener hijos?

*L*a mayoría de las mujeres desea tener hijos y algunas, incluso, dicen que está en su interior esa llamada, pero pocas piensan en el momento adecuado para tenerlos. La preocupación por tener hijos antes de una cierta edad es tan grande, que ignoran completamente las circunstancias en las que estarán trayendo a ese niño al mundo. Cuando se da poca importancia al momento adecuado para tener hijos, el infortunio viene sin demora

Muchos padres tienen problemas precisamente porque decidieron tener hijos en el momento equivocado. Problemas que llegan a afectar incluso al matrimonio. Cuando se ve un bebé en los brazos de la madre, la imagen es bonita. Parece haber tanto amor y cariño, que la persona se siente tentada a tener su propio bebé. La verdad es que tener un bebé para cargar por ahí no es tan simple como parece. Yo recuerdo una época en que los padres solían ser las personas más importantes en la vida de un niño. Hoy en día, los niños no ven el momento de dejar sus hogares. Fácilmente hablan mal de sus padres a los otros y sus actitudes respecto a ellos son muchas veces agresivas e irrespetuosas. Las madres en otro tiempo eran las mujeres más bellas del mundo; hoy, las jóvenes ¡sólo quieren saber de Beyoncé y Britney Spears! Antiguamente, los hijos se reflejaban en sus padres; hoy en día, se avergüenzan de ellos.

Si estás preparada para enfrentar todas las amarguras y tener tu propio hijo, debes primero estar preparada para negar tus propias razones egoístas. Ten el motivo adecuado para tener hijos: Tenerlos para Dios. Si piensas que tus hijos serán tuyos para siempre, estás completamente engañada. Ellos serán tuyos solamente para cuidarlos y criarlos durante un tiempo, y ése es el motivo por el que debemos tener hijos para Dios, para que Le sirvan con su vida.

Tu objetivo respecto a los hijos no debe ser obtener eso o aquello, sino que ellos sean de Dios y Le sirvan con su vida. Ésa es la única manera en que estarán seguros.

Ahora, ve más abajo una lista de situaciones en las que debes evitar tener hijos:

1. Acabas de casarte. Es el momento de conocer bien a tu marido y dedicarte por completo a tu matrimonio. Tener un hijo ahora interrumpirá ese ajuste en tu matrimonio y, consecuentemente, ocupará todo el tiempo y esfuerzo que podría ser destinado a tu compañero.

2. Estás teniendo problemas en tu matrimonio. Sé sabia y resuelve tus problemas conyugales primero. No traigas un niño inocente para que forme parte de tus problemas y crezca rebelde ante tantos conflictos familiares.

3. Tienes problemas económicos. Esto significa que acabarás trabajando más y es ahí cuando el niño comienza a confiar en personas equivocadas, en las drogas, en los video-juegos y en la televisión para criarlo. Estabilízate económicamente para que tengas las condiciones necesarias para criar a tu hijo.

4. Estás deprimida. Si no estás bien espiritualmente, tu hijo no lo estará tampoco. Tu humor y temperamento se los transmitirás siempre a él. Cuida de tu vida espiritual primero, asegurándote de que estás preparada para las diversas batallas que necesitarás enfrentar para criarlo.

Notas

El padre de tu hijo

Este artículo no es sobre tu marido, compañero u hombre que te abandonó embarazada hace algún tiempo. Todo niño que viene a este mundo tiene el mismo padre – y ésta es la razón por la que, a veces, tienes la impresión de que todo tu amor no es suficiente. Todos se sienten atraídos por la misma clase de mal: mentiras, engaños, robo, farsas y cosas semejantes. ¿Cómo es posible que un niño inocente, dentro de tan sólo unos años, se convierta en un verdadero monstruo? ¿Cómo es posible que la princesita de papá se vista de manera tan sensual sólo para ir al colegio? ¿Por qué es tan difícil para el amor de mamá compaginar su vida con la de ella en vez de encerrarse en la habitación todo el tiempo? Sólo hay un culpable: el padre del niño. Aquel llamado "mundo".

Todo niño que viene a este mundo se convierte, inmediatamente, en un fruto más de él. Un niño más, cuyas inclinaciones son contrarias a lo que es bueno y sensato. Prefieren escuchar a otros chicos problemáticos que obedecer a sus padres. Son capaces de hacer cualquier cosa para ser como los demás y convertirse en populares – no importa lo ridículos que parezcan en la forma de vestir o andar. Hoy en día, los niños ya no son más niños. Hace algunos años atrás, los niños todavía respetaban a los padres y aprovechaban el tiempo para jugar y bromear con sus juguetes. Hoy, si no tienen un video-juego o acceso a Internet, su vida es simplemente un hastío.

Solía pensar que los hijos eran un regalo de Dios para nosotras, pero acabé llegando a la conclusión de que Dios no tiene nada que ver con las elecciones que hacemos. Yo me acuerdo de las innumerables veces que reclamé a Dios acerca de mi hijo y de cómo no aceptaba criar un niño para la gloria del diablo; lo que no entendía, sin embargo, era que aquel hijo no era el fruto de una decisión tomada por Dios. Yo requería Su bendición sobre mi hijo, sin embargo, los años pasaban y Felipe todavía continuaba trayéndome tristeza en vez de honra. Solamente cuando reconocí que todo lo que estaba pasando era fruto de mis propias elecciones, fue cuando dejé de sentirme tan frustrada como madre y empecé a buscar la ayuda de Dios.

Nuestros hijos son nuestra responsabilidad. Y si nos parece difícil criarlos, debemos buscar la ayuda y la dirección de Dios. No existe un manual de instrucciones para criar a un hijo, pues todo niño es diferente de los demás y, por más que un método funcione con algunos, la mayoría de los niños necesita un tratamiento individual. Es ahí donde Dios entra. Si ya intentaste de todo lo que te podías imaginar para educar a tu hijo y llegaste a la conclusión de que nada funciona, entonces es el momento de volverte hacia Dios, humillarte y pedirle Su ayuda. Dios puede arreglar cualquier cosa en nuestra vida. Nosotras también fuimos criadas por este mundo e hicimos cosas que tenemos incluso vergüenza de contar. Y, debido a nuestros propios actos, nos metimos en muchos problemas. Sin embargo, en el día en que nos volvimos hacia Dios, Él nos arregló y Se convirtió en nuestro verdadero Padre.

Nuestros hijos sólo cambiarán cuando se vuelvan verdaderos hijos de Dios, por eso, ora por ellos. Y, si todavía no tienes hijos, piénsatelo bien antes de tenerlos. Tú estarás trayendo un niño más a este mundo corrupto. ¿Será que vale la pena?

"¡Ay de las que estén encinta y de las que estén criando en aquellos días! Porque habrá una gran calamidad sobre la tierra, e ira para este pueblo" (Lucas 21:23).

Notas

_____

_____

_____

_____

_____

Ser madre: ¡Se trata de ellos no de ti!

*E*ntonces, ¿quieres ser madre? Cada vez que ves un bebé en los brazos de una mujer ¿no deseas nada más? Voy a hacer algunas preguntas difíciles para aquéllas que quieren ser madres: ¿Por qué quieres ser madre? ¿Piensas que será divertido? ¿Quieres mostrar tu maternidad a los demás? ¿Quieres atar a tu compañero? ¿Es debido a tu soledad? ¿Eres curiosa? ¿Quieres obtener algunos beneficios del país? ¿Deseas que tu apellido continúe existiendo después de que mueras? Si tuvieses que pasar por una entrevista para ser autorizada a ser madre ¿crees que la pasarías?

Ser madre es un trabajo a tiempo total, con largas horas y nocturnidad. No es una tarea para cualquier mujer, y yo podría destacar que es uno de los trabajos más importantes que hay en el mundo entero, pues se está trayendo otro ser humano al mundo. ¿Consigues sentir la responsabilidad? Y si eso no fuera lo suficientemente preocupante, considera que serás responsable de él durante el resto de su vida. No importa lo que él sea en el futuro, aun así, será tu hijo. Cualquier actitud que ella tome, aún así, será tu hija, y ¡ésa es una carga muy pesada que cargar! Serás directamente responsable de enseñar a tu hijo todo lo que necesita saber para obtener éxito. Si todavía no has aprendido todo, ¡enseñarle a tu hijo será extremadamente complicado!

Puedes incluso pensar, por el hecho de que existan tantas madres, que debe ser algo que se explica por sí mismo. Pero piensa nuevamente: ¿Cuántas han tenido éxito en criar a sus hijos en el camino adecuado? ¿Cuántas consiguen educarlos para que sean lo mejor que pueden ser? Si todas las madres considerasen sus responsabilidades cuidadosamente, sin duda nuestra sociedad no estaría de la forma como está hoy. Niños que matan a otros niños, jóvenes que toman drogas, adolescentes que se quedan embarazadas, y la lista continúa. Algunos adultos pasan por momentos difíciles intentando encontrar su lugar en el mundo debido a la forma de como fueron educados. Ahora bien, ¡eso debería significar algo!

Muchas mujeres quieren ser madres, pero ¿será que realmente consiguen ser buenas madres? Tú no tienes que ir a la facultad para ser madre, pero de alguna manera tienes que entender lo que te estás proponiendo.

No puedes dar a luz hijos y dejar que sean educados por la televisión, Internet, el colegio, amigos, etc. Una vez que sean traídos al mundo, es tu responsabilidad cuidar de ellos. Si los motivos por los que tuviste a tu hijo están entre los de la lista del principio, entonces lo tuviste por motivos equivocados – y te vas a quedar muy decepcionada. Observa que si tú no puedes satisfacer esas necesidades por tu cuenta, ¿cómo crees que un niño pequeño podrá satisfacerlas por ti? ¿No es injusto esperar que tu bebé retenga a tu compañero en casa? ¿O que haga disminuir tu soledad? ¿O que haga tu vida más divertida? ¿Cómo un bebé podrá hacer todo eso? Si existe una cosa que debes aprender antes de convertirte en madre es que ¡Ser madre es algo que habla al respecto de tu hijo, no de ti!

Notas

_____

_____

_____

_____

_____

_____

_____

_____

_____

_____

Ellos quieren honrarnos

Tenía sólo 10 años cuando comencé a estudiar piano. Pero, para ser sincera, no era muy buena. Sin embargo, oír a mi padre decir que sería muy bueno si un día pudiese tocar el piano para él, me motivaba a continuar mis clases. Realmente quería impresionarlo, que estuviera orgulloso de mí, honrarlo de alguna manera. Siempre que tocaba el piano, mi padre se acercaba a mí y me besaba, y yo era feliz con eso. Muchas veces tocaba simplemente para sentir aquella demostración de cariño; si él no aparecía, me sentía como si estuviese tocando en vano.

El tiempo pasa y nosotros crecemos, pero no es raro imaginar lo que nuestros padres piensan de nosotros: "¿Cómo mi familia reaccionaría ante esto o aquello? ¿Qué piensa mi padre respecto a mí? ¿Eso lo impresionaría hoy?" El crecimiento es difícil. Incluso cuando ya somos adultas, e incluso madres, todavía deseamos oír a nuestros padres diciendo: "Estamos orgullosos de ti". A veces parece que todavía somos niños...

El hecho es que los niños tienen un deseo natural de honrar a los padres y algunos mantienen este deseo durante la adolescencia y la fase adulta. Y cuando hacen cosas que desagradan o dañan a sus padres, también se sienten dañados por dentro. Pueden esperar durante muchos años, tal vez durante toda la vida, para escuchar un elogio suyo, pero si todo lo que oyen son palabras ásperas y etiquetas prejuiciosas, se apegan a eso y creen que ésa es la realidad.

Siempre que empleamos palabras malas cuando hablamos a nuestros hijos, estamos haciendo que ellos crean que realmente son así. Si tú ya viviste esa experiencia sabes lo difícil que eso puede ser. Todo niño tiene cualidades y defectos, así como cada padre, cada ser humano. Nosotros cometemos errores y podemos ser tan cobardes como nuestros padres y acabar cometiendo los mismos errores que ellos. Imagina las consecuencias drásticas de un padre o una madre que constantemente dice a su hijo: "¡Eres un fracasado!"

Nuestros hijos quieren que estemos orgullosas de ellos y, como madres, debemos expresar que sí estamos orgullosas. Así como Dios no es duro o extremadamente crítico con nosotros, sino que está siempre dándonos una segunda oportunidad y diciéndonos lo grande e incondicional que es su amor por nosotros, también debemos actuar así respecto a nuestros hijos. Vamos a dejarles que nos honren como padres. Eso está en su sangre, ¡y en la nuestra también!

Notas

_____

_____

_____

_____

_____

_____

_____

_____

_____

_____

Tarea de madre

odos saben que la maternidad no es una tarea fácil y que las lágrimas forman parte del paquete. Cuando miro a mi hijo de 11 años, con toda una vida por delante, me quedo pensando en mi responsabilidad. Para que él alcance la plenitud, va a depender mucho del tipo de madre que yo sea; es como si él hubiese entregado su vida en mis manos. Este niño puro y dócil, con limitadas expectativas, me escogió para ser su madre. La única cosa que espera de mí, es que lo ame de tal manera que él se convierta en una persona mejor que yo y que no tenga que pasar por las amarguras que pasé en mi vida. Eso es todo lo que mi hijo espera de mí y ésta es la tarea de toda madre.

Infelizmente, muchas mujeres piensan en tener hijos con muchas excusas. Algunas se sienten solas y les parece que un hijo llenará el vacío de su vida. Otras quieren tener un hijo para mantener una relación o para recibir beneficios. Una razón puede parecer peor que la otra, pero todas tienen una cosa en común: el egoísmo. Una madre que da a luz hijos con la finalidad de satisfacer una o más necesidades, eventualmente se enfurecerá con ellos cuando no correspondan a sus anhelos. No se da cuenta de que está esperando que los pequeñines suplan una necesidad que ella, siendo adulta, no consigue suplir. Eso es injusto. La consecuencia será una educación distorsionada, generando adolescentes rebeldes, llenos de rencor hacia aquélla que los trajo al mundo.

Cuando vi a mi hijo la primera vez, hice planes para él, no para mí. Todos los días me recuerdo a mí misma estos planes y, así, intento hacer lo mejor, de forma que yo sea la madre que él necesita. No puedo ser la madre que mi madre fue para mí, ni tampoco ser la madre que los demás quieren que sea. Cada persona es diferente y tiene sus propias necesidades. Tengo que ser la madre que mi hijo necesita y no abusar de mi derecho de ser madre. Él me entregó su vida y tengo que cumplir mi tarea de madre.

La justicia puede llegar al extremo de determinar qué niños serán retirados de sus hogares cuando sufren abusos por las personas en las que más confían: los propios padres. No podemos criticar a la justicia por sacarlos de sus familias, a fin de cuentas, muchos son los niños que sólo sobrevivirán debido a las decisiones judiciales. Pero tú y yo, tenemos que tener conciencia del verdadero sentido de la maternidad, ya que se trata de ellos no de nosotras.

Notas

Mamá Noel

E s interesante darse cuenta cómo algunas mujeres consiguen encarnar el papel de "Mamá Noel" cuando el fin del año se aproxima. A partir de noviembre, su agenda está llena de planes e ideas para la Navidad. Y cuando finalmente llega diciembre, están corriendo de un lado a otro, comprando regalos para todo el mundo y enviando postales para personas que ni conocen personalmente. Compran paquetes de decoraciones navideñas para adornar la casa y convertirla en una fiesta para toda la familia.

Durante mi infancia, había una tía que se quedaba encargada de preparar la fiesta de Navidad. Se esmeraba en cada detalle y, ese día, todos se quedaban maravillados con la fiesta. La mesa tenía los adornos más bonitos y las comidas más deliciosas. Cada rincón de la casa era cuidadosamente decorado. Podía percibirse claramente el trabajo y la dedicación que había por detrás de todo aquello. Y, como si no fuese suficiente, además tenía regalos para cada sobrino y sobrina. Yo me quedaba superfeliz cada vez que recibía el mío, pues me sentía importante por haber sido nombrada. De esta forma, las fiestas de Navidad en la casa de la tía eran siempre un motivo de gran expectativa. Sin embargo, por alguna razón que yo desconocía, mi tía favorita no era ella. La que más me gustaba y con quien me sentía más a gusto estaba desempleada y no tenía condiciones de darme ningún regalo, ni tan siquiera en mis cumpleaños. Me gustaba mucho porque dedicaba su tiempo a hablar conmigo y me enseñaba cosas que nadie más tenía paciencia para enseñarme. Su sonrisa hacía que me sintiera especial. Cuando me quedaba triste, ella se entristecía también. Mientras que una tía me daba los mejores regalos, la otra me daba amor y atención. Y exactamente eso es lo que sucede con muchos niños hoy en día.

Las madres y tías intentan impresionarles al máximo durante la Navidad, pero olvidan que, para impresionarles, es suficiente darles algo que la MasterCard no puede comprar: el amor.

Alguien puede darte regalos y hacerte sentir importante en el día de Navidad, pero no será como quien te hace sentir especial un día cualquiera. El amor no debe demostrarse solamente a través de regalos, sino por medio de pequeñas e insignificantes actitudes, tales como: una palabra de ánimo en un día difícil, un abrazo fuera de lugar, un besito cariñoso, o, incluso, una simple sonrisa después de un largo día de trabajo. El tiempo que tú pasas con tu hijo es más significativo que todos los regalos que ya le diste. Los momentos que empleas para sentarte a su lado y hablar sobre asuntos de su interés, son más importantes que pasar el día de Navidad juntos. Las pequeñas cosas que acostumbramos a olvidar son las que realmente marcan la diferencia en cualquier relación, inclusive, amistad y matrimonio.

En esta Navidad, no les des sólo regalos a tus seres queridos, pasa momentos preciosos con ellos. Dales una sonrisa cuando se despierten y un abrazo cuando vayan a dormir. Diles lo importantes que son para ti. Muéstrales que los amas incondicionalmente. Esta pequeña actitud puede hacer que esta Navidad sea mejor que la anterior.

Notas

_____

_____

_____

_____

_____

_____

_____

La verdadera disciplina

$\mathcal{C}$omo madre, sé cómo deseamos disciplinar a nuestros hijos de la manera correcta, obteniendo un resultado positivo en su vida futura. Intentamos todos los métodos que oímos de nuestras propias madres y amigas pero, aun así, es difícil definir cuál es la mejor manera – al final, todas las madres desean ser las mejores madres del mundo. La verdadera disciplina no hace que tu hijo crezca enfadado y con rabia de ti; al contrario, hace que tu hijo crezca y te agradezca por la infancia que tuvo. Entonces, ¿cuál es la verdadera disciplina que nosotras, madres, tenemos que dar a nuestros hijos? Todas nosotras sabemos que nuestros hijos son diferentes unos de otros y no podemos esperar que una misma regla sea adecuada para todos. Aun así, existen cosas que pueden hacerse en el día a día que surtirán efecto en cualquier niño. Son éstas:

1. Interésate por el crecimiento de tu hijo. No permitas que crezca para convertirse en cualquier cosa. Interésate en su crecimiento; haz el esfuerzo de trabajar en aquellas debilidades de carácter y comportamiento que pueden perjudicarlo. Tal vez siempre mienta y piensas que eso es algo temporal de su infancia, pero yo te digo: No es así. Si no corriges las actitudes equivocadas de tu hijo, se quedarán con él para el resto de la vida.

2. Moldea a tu hijo. He oído a algunos padres decir sobre sus hijos: "¡Él es así!" Como si el hecho de ser padres no tuviese ninguna utilidad. Nosotros somos quienes hacemos a nuestros hijos ser aquello que deseamos. Está claro que tendrás que trabajar en ellos constantemente, pero es posible moldearlos de la manera que queremos.

3. Ayuda a tu hijo a ser aquello que él desea. Talvez tu hijo siempre soñó con ser piloto pero, en realidad, no es para poder viajar

y ganar mucho dinero, sino ¡para impresionarte a ti! Acuérdate: debes trabajar en tu hijo para que crezca y sea realmente aquello que él quiere ser.

4. Pasa tiempo con tu hijo. Tal vez a él le guste quedarse con otros niños en el parque saltando o jugando, pero es más importante que tú pases tiempo con él que satisfacer sus deseos. Quedar con otros niños es bueno para él, pero no tan bueno como quedarse contigo.

5. Pide a Dios que te ayude. No necesitas ser religiosa para tener Su dirección en su vida. Dios es el mejor Padre que existe y tú realmente puedes aprender buenas lecciones con Él. ¡Yo aprendí!

Notas

_____

_____

_____

_____

_____

_____

_____

_____

_____

_____

¿Rebeldes por naturaleza?

$\mathcal{H}$ ubo un tiempo en que los hijos respetaban a sus padres, llenándoles de orgullo; por eso, era normal que las familias fuesen grandes – al contrario de lo que vemos en los días de hoy, donde la mayoría de los niños tiene apenas un hermano o hermana. Uno de los mayores motivos de ese cambio es el simple hecho de vivir una generación rebelde.

Actualmente, los padres tienen miedo de sus propios hijos, pues sus malas actitudes generan conflictos verbales e incluso físicos. Muchos hijos rebeldes demuestran más respeto hacia sus animales de compañía que a sus propios padres y, los consejos de extraños les atraen más que los consejos de sus propias madres. Para enfrentar ese problema tan profundo que es la rebeldía o la rebelión, debemos identificar en primer lugar sus raíces. La rebelión fue el primer pecado en este mundo. En realidad, empezó antes de la creación del hombre, delante de los ojos de Dios. Lúcifer, un ángel que estaba muy próximo a Dios, decidió dejar de honrar y glorificar al Creador. Quería ser semejante a Dios y, dirigido por la ambición de su corazón, se rebeló contra el Señor y arrastró muchos otros ángeles con él. Ése fue el principio de la maldad. Dios no tuvo otra elección que no fuera la de expulsar a Lúcifer y a sus seguidores del cielo. A fin de cuentas, si ellos permaneciesen en Su Reino, contaminarían a más ángeles. Es exactamente eso lo que produce la rebelión: la contaminación de los otros.

Al contrario de la opinión que tienen muchas personas, los hijos no son rebeldes por naturaleza. Si miramos hacia atrás, te acordarás de lo fácil que era enseñar cosas nuevas a tus hijos y cómo ellos confiaban en ti plenamente. Mientras tanto, a medida que crecían se fueron contaminando por las actitudes de los otros. Los pensamientos y las actitudes rebeldes impregnaron nuestros colegios, vecindarios, programas de televisión y canciones. Los niños quieren, a toda costa, aquel determinado video-juego, ver aquel programa de televisión, escuchar aquella determinada música, hacer amistades con aquel grupo de chicos... Y así, va generándose una contaminación total.

Muchas madres se culpan por no estar haciendo lo suficiente por sus hijos, pero eso no puede ser verdad. La mayoría de las veces, la madre hace lo mejor. Su único defecto es no determinar los límites necesarios para evitar la contaminación. Fíjate que Dios, en Su infinita sabiduría, nos enseña a través de Su Palabra que debemos apartarnos del mal. Permitir que tus hijos tengan todo lo que quieren y hagan todo lo que desean acabará por llevarlos al camino de la rebelión. Ellos necesitan tener límites. El niño no tiene la menor noción de cómo determinar sus propios límites y no consigue prever lo malo; por eso, necesita de sus padres. Está claro que no podemos prohibirles hacer amigos o ver la televisión pero, con seguridad, podemos examinar sus amistades y el tiempo que permanecen delante de la TV. Crear actividades interesantes para que los niños se ocupen después del colegio, también trae buenos resultados.

Una vez, alguien dijo: "El problema de ser padres es que, cuando llegamos a tener experiencia, estamos "desempleados", es decir, ¡nuestros hijos ya crecieron!" Por tanto, no vamos a perder más tiempo. Vamos a tomar el control de nuestros hijos para que ¡la rebelión nunca pueda echar raíces en nuestras familias!

Notas

_____

_____

_____

_____

_____

¡Cuidado! Adolescencia a la vista

𝒮u hijo mira hacia ti como si dijese: "¡Yo no aguanto más!" Y todo lo que puedes hacer es contar hasta diez y recordar lo que tus amigas y parientes te decían respecto al terrible comportamiento de sus hijos adolescentes. Pero, ¿por qué tienes que aceptar esa falta de respeto de tu propio hijo? ¿Por qué esperar para ver lo que va a pasar después de esta fase? ¿Por qué estar obligada a pasar por las mismas aflicciones que las demás personas pasaron? No acepto – ya lo dije y voy a continuar diciéndolo. Fui criticada varias veces debido a eso, pero ¡me niego a aceptar que tenga que pasar por las mismas dificultades por las que los padres no-cristianos pasan! Es simplemente ridículo. Es como si un niño fuese lo suficientemente adulto para hacer lo que quiera. Respóndeme con sinceridad: ¿Puedes aceptar la idea de que un adolescente tenga el suficiente conocimiento del mundo como para guiar su propia vida? Es obvio que no. Es solamente un adolescente, es decir, está en una fase que antecede a la fase adulta. Lo que hace o deja de hacer va a influirle mucho en su vida cuando sea adulto.

Si tú eres del tipo de madre que admites que tu hijo adolesce domine, ten la certeza de que le estás proporcionando un pési mienzo. En breve, no respetará a nadie y eso será un obstácu vida espiritual, pues si no es capaz de respetarte a ti, ¿cóm a Dios? Las idas a la iglesia caerán en el olvido y perder el sentido para él. Ésta es la razón por la que muchos j ron prácticamente criados en la iglesia viven una vi espanto. Jóvenes deprimidos, fracasados, llenos de zan a sus padres cada vez que muestran total in

Seamos padres y madres de verdad, no cual te das cuenta de que tu hijo está yendo po agárralo del brazo y tráelo por el buen c joven y está bajo tus cuidados. Si más tarde, cuando sea adulto y responsable de su propia vida, decide que no quiere seguir a Dios, por lo menos tú podrás decir: "¡Yo hice mi parte!"

Me gustaría dar soporte a esta teoría a través de mi propia experiencia como adolescente. Yo fui educada para respetar a mis padres incondicionalmente y cada vez que no los respetaba, ellos no ignoraban mi falta de respeto – era siempre reprendida en el mismo momento. Y si no me gustaba la represión, ¡era reprendida dos veces! Y funcionó, dio resultado. No me convertí en una adolescente problemática; al contrario, acabé conociendo a Dios durante mi adolescencia.

No es una cuestión de forzar a nuestro hijo a creer en Dios y a frecuentar la iglesia; es simplemente una cuestión de encaminarlo con firmeza a ser niño y hacerle entender que él no es mejor que sus padres, que no es lo suficiente maduro y sabio como para saber todas las respuestas y lo que es mejor para su vida. Yo no fuerzo a mi hijo a hacer ninguna cosa en la iglesia; al contrario, espero que se comporte como el niño que es. Y si no está de acuerdo con la idea, bueno... ¡Él tendrá que crecer primero!

Notas

Rio de Janeiro
Estrada Adhemar Bebiano, 3.610
Inhaúma – CEP: 20766-720
Rio de Janeiro – RJ
Tel.: + 55 21 3296-9300
www.universalproducoes.com.br
editora@universalproducoes.com.br